Roger D. Landry
Clara Marais • Lori Miller

LE SANS TACHE

Roman policier

Stanké
QUEBECOR MEDIA

À nos enfants,
afin qu'ils continuent à rêver

Toute ressemblance avec toute personne réelle
n'est que pure coïncidence.

Ce roman salue tous ceux et celles qui pratiquent le droit et en particulier ceux et celles que j'ai rencontrés et connus.

ROGER D. LANDRY CC. DQ.

Les honorables juges :

Abella, R.
Arbour, L.
Barette-Joncas, C.
Beauregard, M.
Bergeron, A.
Bisson, C.
Boilard, J-C.
Bonin, J-P.
Brossard, A.
Chamberland, J.
Colas, R.
Côté, M.
Coupal, S.
Deslongchamps, A.
Durand, R.
Ficion, C.
Fréchette, R.
Godbout, J.
Gold, A.B.
Grenier, D.
Jolin, P.
Lacerte-Lamontagne, C.
Lamer, A.

Landry, L.P.
Lemieux, L.
L'Heureux-Dubé, C.
Mailhot, L.
Martin, J.F.
Marx, H.
McLachlin, B.
Michaud, P.A.
Mongeau, R.
Paul, R.F.
Poitras, L.A.
Proulx, M.
Rayle, P.
Robert, M.
Ronchon, A.
Ruffo, A.
Sévigny, P.
Tellier, B.
Tellier, C.
Tessier, P.
Tremblay-Lamer, D.
Trudeau, P.
Verreault, R.

Les avocats :

Alain, R.
Allard, L.P.
Aquin, F.
Aubut, M.
Baribeau, P.L.
Bazin, J.
Beaudoin, G.
Beaumier, M-J.G.
Beauvais, J.
Bédard, C.
Béland, P.
Bellemare, D.
Bellemare, J.
Bernard, L.
Bertrand, L.
Blaikie, P.M.
Blank, H.
Boisvert, Y.
Bouchard, C.

Bouchard, L. (T.H.)
Bourque, P.
Bourque, S.
Buchholz, P.
Bureau, A.
Casey, J.
Casgrain, P.
Cauchon, M. (H)
Champagne, A.
Champagne, L.
Charest, D.
Charest, J.
Chrétien, J.
Ciaccia, J.
Colas, E.
Côté, S.
Cournoyer, J.
Dancosse, G.P.
Danis, M.

Daviault, A.L.
Daviault, F.
De Banné, P.
de Grandpré, A.J.
de Granpré, L-P.
de Grandpré, P.M.
Delage, N.
Delaney, F.
Delorme, J-C.
Desjardins, G.
Desmarais, J.
Desmarais, L-P.
Dion, P-E.
Dorais, J.P.
Dorris, H.
Douville, J.
Drouin, R.
Ducharme, C.
Dussault, A-M.
Émery, B.
Emery, G.
Fortier, Y.
Fox, F.
Gauthier, A.P.
Gérin-Lajoie, P.
Gervais, F.
Gervais, P.A.
Gilbert, G.
Giroux, J-F.
Giroux, L.
Godin, S.
Gourd, A.
Grimard, N.
Guay, R.
Guérette, F.
Guilbeault, N.
Heenan, R.L.
Hervieux-Payette, C.
Johnson, D.
Johnson, P-M.
Kenniff, P.
Lafaille, J-M.
Lalonde, F.
Lalonde, M.
Langlois, R.
Latreille, J-F.
Latulippe, O.
Laurin, A.
Legrand, P.
Le Hir, R.
Levitt, B.
Lizotte, A-M.
Mailhot, C.
Maldoff, E.M.
Massicotte, M.
Meighen, M.

Melnikoff, V.M.
Ménard, J-P.
Ménard, S.
Mercure, J-C.
Méthot, L.
Michaud, J-F.
Monet, D.
Montcalm, N.
Montcalm, R.J.
Moreau, A.M.
Mulroney, B.
Nolin, J-C.
Ouellet, A.
Page, R.
Paradis, P.
Paul-Hus, J.
Pepin, G.
Perrin, E.
Pitfield, P.M.
Popovici, A.
Pouliot, G-A.
Pound, R.W.
Primeau, I.
Prud'homme, I.
Régnier, M.A.
Rémilliard, G.
Richard, C.
Richard, P-D.
Riel, M.
Roy, B.A.
Royer, A.
Royer, R.
Sauvé, P.
Schachter, R.H.
Setlakwe, R.C.
Sheppard, C-A.
St-Pierre, M.
Talarico, D.
Tellier, P-M.
Tetley, W.
Tousignant, J.
Trahan, J.
Trahan, M.
Tremblay, G.
Turgeon, R.
Turner, J.N.
Vennat, M.
Venne, S.
Viau, J.
Villiard, L.
Vincent, P.H.
Wagner, R.
Wilson, L.R.
Yergeau, M.
Zigby, J-P.

Préface

J'annonçais mon départ de *La Presse*.

Le 26 janvier 2000, j'allais quitter ce poste de président et éditeur que j'avais tant aimé, mais surtout des collègues et amis que je n'oublierai jamais.

Le 28 février 2000 devait être l'une des premières journées de ma vie où je n'allais rien avoir à faire! Grave erreur car, ce jour-là, je reçus de mon ami de toujours, Alain Stanké, une commande précise: «Tu vas écrire tes mémoires ou ta biographie...»

Devant ce vide, que j'entrevoyais avec appréhension, je communiquai dès lors avec mon mentor des années soixante, Yves Jasmin, qui m'avait suggéré d'écrire mon «histoire» afin de l'inviter à venir passer du temps avec moi pour voir si nos échanges résulteraient en quelque chose d'intelligent à lire.

Notre réponse fut oui. Mai je ne me sentais pas à l'aise avec le fait qu'il est impossible d'écrire sur d'autres personnes sans faire connaître davantage les traits de leur personnalité et certaines attitudes dans leur comportement. J'ai immédiatement convenu avec Yves que je devais attendre quelque temps avant d'aller plus avant dans ce projet.

J'en avise aussitôt mon ami Alain qui me propose alors d'écrire un livre d'anecdotes qui raconterait les bons et les moins bons moments de ma vie, mais qui procurerait du *fun* aux lecteurs.

À cette même période, à l'occasion d'une soirée-bénéfice, je renouais avec deux amies qui m'invitaient à participer à l'écriture d'une œuvre de fiction, d'un polar dont l'action se situerait à Montréal et qui toucherait de près à ce que j'aurais souhaité être si je n'avais pas connu les joies d'une carrière totalement remplie: le monde fascinant de la justice, des tribunaux, de la magistrature, des avocats, des policiers, pour ne nommer que ceux-là.

De 1956 à 1962, je travaillais chez Bell Canada et m'occupais, à Montréal, des besoins en télécommunication du gouvernement du Québec. La Sûreté du Québec ne bénéficiait pour ainsi dire d'aucun moyen de communication valable. En région, si les policiers patrouillaient la route après les heures, il n'y avait pas de réponse au poste. Cela m'amena, avec la collaboration d'un ingénieur de Bell Canada (René Fortier, décédé depuis) à assurer la réception des appels dans les véhicules. Aujourd'hui, ce serait de l'antiquité mais à l'époque, c'était du grand art.

Quoi qu'il en soit, pour en assurer l'implantation, la Sûreté m'offrait de joindre ses rangs à titre d'inspecteur. J'acceptai avec plaisir et, à 28 ans, je devenais le plus jeune inspecteur de police au Canada.

Je participai ensuite à des enquêtes et à des opérations policières telles que l'écrasement d'un avion à Sainte-Thérèse, qui avait causé la mort de 116 passagers, à des causes de fraude ainsi qu'à plusieurs dossiers d'écoute électronique.

Pourquoi ce long exposé sur ma courte carrière policière? Parce qu'il explique ma participation à ce livre.

Lori Miller et Clara Marais (noms de plume) allaient demeurer mes amies mais aussi devenir mes compagnes d'écriture. Écrire à trois peut être difficile mais sans aucun doute gratifiant. Échanger, questionner, ajouter, s'amuser. Voilà ce qui résume le mieux cette année de travail.

Mes coauteurs ont préféré l'anonymat pour des raisons professionnelles et familiales. Elles m'ont demandé d'agir en leur nom et j'ai acquiescé.

Ce livre est notre premier à trois. Nous avons déjà un autre projet en cours. Notre souhait collectif est que nos lecteurs et lectrices s'amusent autant à le lire que nous avons eu de plaisir à l'écrire, car nous n'avons nulle autre prétention que de divertir et de procurer un peu d'évasion.

ROGER D. LANDRY

Jeudi 22 juin 2000

I

16 heures, salle 412 du palais de justice de Montréal. J'écoute attentivement. Les enjeux sont importants. L'atmosphère est à trancher au couteau. Les médias envahissent la salle d'audience.

La famille de mon client d'un côté, les parents de la victime de l'autre. La tragédie: un jeune homme tué. Le procès d'Yves Picard a duré une semaine. Accusation: conduite dangereuse causant la mort. Mandat difficile pour une avocate de la défense que de représenter un jeune homme dans la vingtaine qui a fauché la vie d'un autre.

Papa m'a bien aidée dans ce dossier. Avocat d'expérience, il a tout de suite cerné la question: «Pas question d'alcool dans ce dossier, Tania. Plaide la signalisation défectueuse. Ce n'est pas un acte criminel.»

Papa arrive aujourd'hui d'un voyage d'affaires à New York. Je dois aller le chercher à l'aéroport. Ça tombe mal.

– Considérant la preuve, la cour n'est pas convaincue hors de tout doute raisonnable de la culpabilité de l'accusé. M. Picard est acquitté.

Ces derniers mots du juge résonnent d'un mur à l'autre de la salle. Le soulagement perceptible sur le visage de mon client contraste avec la frustration et l'amertume des parents de la victime. La voix forte du huissier retentit comme un gong.

– La cour est ajournée. Tout le monde debout. Partir le plus rapidement pour éviter le spectacle. Un doigt sur les lèvres en direction de mon client réitère mes consignes. Aucune déclaration quoi qu'il arrive. Un air triomphant condamne davantage. L'humilité sert toujours mieux.

Assailli par les médias, mon client les affronte sans mot dire. Je réponds brièvement à quelques questions des journalistes. Des sangsues qui sucent sans fin. Jamais rassasiés.

Vite l'aéroport, je suis en retard. L'heure de pointe. Où ai-je stationné ma voiture? Ah oui, j'avais prévu, le stationnement en face du palais. C'est plus facile pour sortir du quadrilatère.

17 h 15 et encore sur la 20. Autoroute de bouchons. Où ai-je foutu mon cellulaire? La fermeture de mon sac est coincée. Enfin!

– Louis, pouvez-vous vérifier si le vol Air Canada numéro 715 en provenance de New York est à l'heure et me rappeler? Je suis en direction de l'aéroport.

Mon secrétaire depuis trois mois au bureau de l'Aide juridique, Louis, fait un travail remarquable. Tact et discrétion sont sa signature. Quelle chaleur et mon air conditionné qui ne fonctionne toujours pas! Les voitures et moi, deux pôles. La sonnerie du téléphone me fait sursauter.

– Me O'Neil, l'avion a été retardé de 30 minutes. Congestion à Kennedy.

– Quelle bonne nouvelle! Au fait, Louis, Yves Picard a été acquitté, lui dis-je sur un ton triomphant.

– Félicitations... Vous allez enfin pouvoir vous reposer un peu.

– Merci et à lundi. Bonne fin de semaine.

Comme mon père, Louis est toujours aussi soucieux de ma santé. Mon père dit toujours que je travaille trop. Il peut bien parler. Tellement efficace qu'il ne peut souffrir de perdre son temps. Une demi-heure de retard, il sera en rogne. Ne pas rater la sortie Dorval. Que c'est mêlant! On dirait que les automobilistes se sont tous donné rendez-vous à l'aéroport en même temps.

Les arrivées, au niveau du rez-de-chaussée. Je respire. L'avion vient tout juste d'atterrir. Pourquoi me stresser autant? Je ne passe pas un examen! Tiens, voilà papa. Toujours aussi élégant avec son bel habit bleu. Je comprends que les femmes tombent amoureuses de lui. Un signe de la main et un sourire forcé, sa démarche lente surprend.

– Le vol s'est bien déroulé?

Ses yeux trahissent quelque chose d'intangible. Étrange! Après m'avoir embrassée sur les deux joues comme il le fait depuis que je suis toute petite, il répond presque distraitement:

– Tu sais, Tania, les avions...

Sa réaction m'étonne. Il est sûrement fatigué pour ne pas pester contre ce retard inutile, et tout en douceur il ajoute:

– On y va, Tania?

Je l'observe. Son calme apparent me dérange. La cohue à la sortie. Heureusement, l'auto est à deux pas.

– Peux-tu me déposer au bureau, j'ai un closing à préparer pour demain.

Encore du travail. Sur un ton peu convaincant, je tente de le dissuader.

– Tu pourrais relaxer un peu. Tu arrives de New York.

Parler à un mur et à papa, c'est du pareil au même. Peine perdue. Un match de tennis peut-être? Depuis que je vis au parc Lafontaine, il est mon partenaire favori. Je pourrais ainsi m'assurer que tout va bien, mais papa décline mon invitation.

Nous arrivons au centre-ville de Montréal. L'air est doux, c'est une belle soirée. Coïncidence, Gershwin, le préféré de papa, nous accompagne. Notre conversation s'anime. On parle de tout et de rien. Papa me surprend. Il adore le Festival de jazz et c'est la première année qu'il n'a pas acheté de billets. Trop occupé, me dit-il. Je l'observe. Son genou droit n'arrête pas de sautiller. Nos regards se croisent et je comprends que toute question serait impertinente. Je décide donc d'augmenter graduellement le volume. *Summertime* prend toute la place. La fin du trajet est trouée de silences. Face à la Place Ville-Marie, il m'embrasse et descend de la voiture.

– En passant, Me Robert O'Neil, Picard, tu sais, celui de l'accident, a été acquitté.

– Comme je t'ai déjà dit, ma fille, il n'y a pas de génération spontanée! On fête ça lundi avec Jacqueline? Tu n'oublies pas la fête de ta tante!

– Toi et tes théories sur l'évolution du monde! Ben non, je n'ai pas oublié notre rendez-vous.

Je le regarde s'éloigner. Encore bel homme avec ses tempes grises. Ah! que j'aurais aimé connaître maman. Elle devait être extra pour qu'un homme comme lui l'aime tant!

II

Il fait terriblement chaud. Casque et sac à dos, Caro circule à vélo dans la rue Sainte-Catherine. Longue journée avec des circuits difficiles. Caro pense à ce soir. Se retrouver sur le plancher du Métropolis pour écouter Jean Leloup. Parfait pour danser et tripper.

Un appel de son répartiteur la perturbe.

– Caro, je n'ai plus personne... J'ai une livraison de dernière minute. Une enveloppe pour un cabinet d'avocats de la Place Ville-Marie. Tu me dépannes?

Après quelques secondes d'hésitation, Caro répond:

– Bon, tu m'en devras une! Oublie pas! Il est quand même vingt heures!

Les rues de Montréal sont bondées de touristes et de conducteurs impatients. À toute vitesse, Caro récupère l'enveloppe et file à vive allure. Elle attache son vélo à un parcomètre et remplit son bon de connaissement tout en marchant rapidement dans la rue Cathcart vers la Place Ville-Marie.

Imposant, cet édifice! Le hall d'entrée est vide. Caro se dirige vers l'ascenseur. À l'intérieur, elle pèse à répétition sur le bouton du 12e étage. Piétinant sur place, elle se ronge les ongles.

– Un autre produit inefficace! C'est rendu que je trouve qu'il goûte bon!

Les portes s'ouvrent sur la plaque du bureau d'avocats O'Neil & Morris. En sortant de l'ascenseur, Caro en profite pour jeter sa gomme et elle pénètre à l'intérieur du 1210.

À cette heure tardive, personne à la réception.

– Ces avocats, cette manie de tout régler à la dernière minute, pense Caro.

S'avançant dans le corridor pour appeler quelqu'un:

– Hé! y a quelqu'un?

À ces mots, sans crier gare, un visage au regard trouble l'accroche avec sa mallette et sort précipitamment. Surprise, Caro s'arrête quelques secondes puis elle continue.

– Un autre pressé! se dit-elle.

C'est la première fois qu'elle s'aventure aussi loin dans le bureau; un tapis feutré, des murs garnis de reproductions des œuvres de Daumier, des scènes de cour. Alignées de chaque côté, une dizaine de portes. Une chanson de B.B. King l'attire. Tout au fond un grand bureau. La porte est ouverte.

– Tout un espace! La grandeur de mon logement!

Des fenêtres panoramiques avec vue sur le centre-ville. Une table en chêne massif et des fauteuils en cuir rouge. Caro fait quelques pas.

– Quelle vue! Montréal à leurs pieds! Je comprends, au prix qu'ils chargent!

Plusieurs dossiers couvrent la table, des livres sont ouverts. Au mur, un diplôme accroché: Robert O'Neil, BCL, 1970, McGill University. Puis Caro note une silhouette au fond de la pièce. Des mèches grises pendent. Quelqu'un est assis.

– Êtes-vous M^e O'Neil? J'ai besoin d'une signature pour confirmer ma livraison.

Pas un son! Que le bruissement des lampes halogènes qui projettent une lumière aveuglante. Caro avance à pas de tortue. Ses pieds s'enfoncent. Elle résiste comme si elle glissait dans un fossé. Devrait-elle reculer? Elle frissonne.

Un homme à demi couché sur une chaise droite. Il ne bouge pas. Sa tête est inclinée, sa main droite frôle le sol. Caro approche. Elle se penche vers lui. Ses gants troués étouffent ses cris. Une grosse tache de la couleur du fauteuil couvre une partie de la chemise de l'homme. Deux larges pupilles noires la fixent. L'effroi. À droite, à ses pieds, elle aperçoit une arme.

Elle ne connaît pas cet homme. Il n'a pas l'air en paix. Du bout des doigts, elle effleure son front. Il est encore chaud. Et elle lui parle à voix mi-éteinte:

– Je dois partir. C'est trop risqué! Je ne veux rien savoir de la police, mon vieux!

Caro laisse son enveloppe sur la table et sort comme une voleuse.

Il fait chaud au Métropolis. L'éclairage est diffus. La fumée envahit l'espace. On n'a qu'à respirer pour partir en voyage. Sur l'air de *Go Johnny Go*, Caro danse les yeux fermés. Elle s'étourdit pour oublier ce corps inerte. Caro n'est bien que lorsqu'elle danse.

Lundi 26 juin

I

Papa ne m'a jamais amenée à l'église. Sa dépouille mortelle s'en est chargée. Petite, j'y venais avec tante Jacqueline. Les chants mélodieux, les parfums et le silence m'attiraient. Odeur d'encens, lumière orangée, fleurs blanches. Je ne suis pas pratiquante mais j'aime me réfugier dans ces lieux saints. Durant mes examens du Barreau, j'y venais de temps en temps. Cela m'apaisait.

Ce matin, nous sommes tous réunis dans cette église de style baroque aux majestueuses colonnes. L'église Saint-Viateur d'Outremont est parée de vitraux d'une luminosité sans pareille. Contempler ces chefs-d'œuvre de Lichieri par où le soleil filtre m'oblige à ne pas penser. Dans les rangées, les bancs de chêne ornés de têtes d'ange sont tous occupés. Pour lui. Ils sont venus nombreux. Mon père était un homme respecté de sa communauté.

Pendant que les six porteurs transportent le cercueil au pied de l'autel, je note leur ressemblance. Leur style rigoureux et ascétique épure la cérémonie. Leur démarche presque guerrière oblige au respect et réprime toute douceur.

Précieuse Jacqueline qui m'accompagne. Depuis la mort de maman à ma naissance, Jacqueline m'a prise sous son aile et m'a élevée. Toutes les deux, nous suivons le petit servant de messe qui agite son encensoir. Je respire ces vapeurs enivrantes. On entonne *Summertime* de

Gershwin et mon cœur s'affole. Je revois papa au piano jouer cet air qu'il adorait.

Cette longue marche dans l'allée s'éternise. Des boulets ralentissent mes pas. Des regards se croisent. Des larmes glissent. Des interrogations se précipitent comme pour étouffer la peine.

Inexplicable, ce suicide de papa. À son retour de New York, il était soucieux. J'aurais dû le questionner... Et ce calme apparent... Je n'aurais jamais cru qu'il soit si déprimé.

Nous prenons place dans la première rangée. J'attends sans trop savoir quoi faire. Jacqueline est silencieuse. Son regard cherche des yeux qui pourraient lui répondre. Vers la dernière rangée, une amie de la famille, Viviane, avec sa belle tête rousse et ses yeux verts tristes nous observe. Dans la cinquantaine, toute menue, elle est coiffée d'un joli chapeau de paille légère. Mon esprit s'égare. Toutes ces choses sont tellement sans importance.

– Chers amis, nous sommes ici réunis pour notre frère Robert O'Neil qui nous a quittés tout à la veille de ses 60 ans. Né à Montréal, le 15 mai 1940, fils de Jacques O'Neil, homme d'affaires et de Thérèse Des Marais, musicienne. Seul garçon de la famille, il a fait ses études au Collège Jean-de-Brébeuf, puis son droit à l'université McGill. Spécialiste en droit corporatif, il s'est associé à Harvey Morris pour fonder un cabinet d'avocats. Sa réputation de juriste dépasse nos frontières. Il était aussi membre du Barreau de l'État de New York. Robert O'Neil était marié à Louise Pomerleau...

Où suis-je? Je n'écoute plus, un mauvais rêve. Du coin de l'œil, j'aperçois mon amie Christiane. Je la retrouverai ce soir. On partage le même appartement depuis bientôt deux ans. Où est Simon? Je ne le vois pas. «Il faut avoir du temps à perdre pour parler des morts», répète-t-il à qui veut l'entendre. Mais il m'avait promis qu'il serait présent. Sa chambre noire avant moi!

– Levez-vous, mes chers frères, et accueillons la parole de Dieu.

– On ne peut pas aller plus vite que le temps. Ne te décourage pas. Allez, Tania, me chuchote Jacqueline.

Tout est si irréel. Ma tête va éclater. Je fixe le soleil à travers le vitrail. Lui qui aimait tellement l'été. Pourquoi se tuer en plein cœur de sa saison préférée?

Le moment est venu de descendre cette longue allée. J'ai peur de m'évanouir. Je croise tous ces regards familiers et inconnus. Je n'entends rien. Je voudrais être seule. J'ai besoin d'air. Enfin je suis sur le parvis de l'église.

– Mes condoléances, Tania. Votre père était un patron extraordinaire!

Sur ces mots, Pamela Stuart se met à pleurer à chaudes larmes. Jamais mon père ne s'est plaint de cette femme. «Une secrétaire exceptionnelle!» disait-il. J'ai longtemps soupçonné une relation amoureuse avec cette obsessive. Mais papa s'en défendait avec vigueur.

J'aperçois Me Morris. Mais pourquoi reste-t-il à l'écart? Je ne lui connais pas cette retenue. Trop ému pour parler, peut-être. Tiens, Nicholas Hall. Il a vieilli depuis qu'il a pris sa retraite du service de la police. Il faut que je lui parle. Peut-être voudra-t-il lire le dossier du coroner avec moi.

J'ai hâte que tout soit terminé pour m'arrêter et penser. Impossible qu'il se soit tué. Il avait tant de projets.

C'est contraire à toute logique. «T'ai-je dit, papa, combien je t'aime?»

II

La mort de si près, il a le goût de tourner la page de cet épisode de sa vie. Le soleil est de plomb. Harvey sent un mince filet de sueur lui chatouiller le cou. Et ce mal de dos qui ne le lâche presque plus: «Dégénérescence, sténose», lui a dit le médecin. «C'est l'âge, mon cher Harvey, il faut continuer à bouger mais il faudrait envisager la nage et laisser le tennis aux plus jeunes!» Par ces journées humides, cette douleur lancinante à la colonne vertébrale le ramène à ses 58 ans. Certes il les porte bien: élégant, mince, la chevelure d'un brun noyer, pas un cheveu gris.

Auprès de Robert, il a exagéré sa souffrance physique pour masquer son angoisse. Au cours des derniers mois, il a englouti d'importantes sommes dans le jeu. Il paie ses dépenses courantes à même la marge de crédit du bureau. Le gérant de sa banque appelle tous les deux jours. Sa pratique de droit en prend aussi un coup; fatigué, il se concentre difficilement.

Encore la semaine dernière, Robert l'encourageait: «La maladie est incontrôlable», lui répétait-il souvent. Il est vrai qu'Harvey l'avait beaucoup aidé à surmonter sa peine à la mort de Louise.

Harvey avait réussi à manipuler son meilleur ami. Robert le soutenait pendant que lui le trompait!

De sa voiture, il observe Tania descendre les marches de l'escalier. Âgée d'une trentaine d'années, elle n'en paraît pas même 25, mince, les grands yeux noirs paternels et la même détermination. Avec sa tante Jacqueline, elle a vécu une enfance de dentelles et de tendresse, mais une adolescence difficile. Combien Robert avait été anxieux pendant le séjour de Tania en Californie! Elle rêvait de devenir sculpteur. Il espérait pour elle la stabilité des gens de loi. Deux longues années sans contact sauf pour lui envoyer des sous, et Robert qui préférait nier son existence!

Puis Tania est revenue à Montréal et s'est inscrite en droit à McGill. Harvey entend encore Robert clamer: «Elle est ma plus belle réussite.»

En observant Tania recevoir les condoléances, Harvey se demande comment composer avec cette orpheline, la fille de son associé qui en sait si peu sur lui.

III

On ne l'a pas invitée à s'approcher de la famille au cimetière. Seule, à l'arrière, elle s'occupe encore des clients. La secrétaire parfaite. Sa force, son secret: un simple «bonjour» au téléphone et elle reconnaît son interlocuteur. Pamela Stuart se rappelle en regardant le cortège ces mots de son patron: «Je ne pourrais jamais me passer de vous, Pamela, vous m'êtes indispensable.»

Elle avait connu Robert O'Neil alors qu'il était stagiaire dans un grand cabinet d'avocats. De 10 ans son aîné, jeune homme fougueux, de l'esprit et du magnétisme, il dégageait cette énergie des jeunes premiers. Elle l'avait suivi de bureau en bureau, d'associés en associés.

À la mort de la conjointe de Robert, Pamela avait nourri le désir de la remplacer. La secrétaire parfaite n'allait-elle pas devenir l'épouse parfaite? Il s'agissait d'être patiente, une simple question de temps. Pamela se souvient de ses rêves. Elle avait choisi sa robe et son hôtel pour la réception, le Ritz. Tout était prêt. Elle ne voulait pas le brusquer. Tel serait son destin.

Puis, elle avait appris en réservant la chambre au chic hôtel Le Pierre à New York que son patron ne voyageait pas seul. Pamela n'avait pas accepté que son rêve soit brisé par une autre femme.

En regardant le cercueil quitter ce monde, Pamela sait que désormais Robert O'Neil lui appartiendra pour l'éternité.

IV

John Campbell, enquêteur aux stupéfiants à la police de Montréal, n'est pas vraiment surpris du coup de téléphone de Tomas Vinci. Il avait dû apprendre le décès de son avocat Robert O'Neil.

John avait rencontré Tomas Vinci il y a cinq ans aux audiences de la commission d'enquête sur l'évasion fiscale dans l'industrie du vêtement. Magnat de l'industrie de la mode américaine, Tomas Vinci contrôlait une part appréciable du marché du prêt-à-porter et, comme à Montréal la main-d'œuvre est hautement qualifiée dans l'industrie du vêtement, ses importations étaient importantes. Un groupe d'intervention fut formé par les différents corps policiers. John était l'un des enquêteurs avec son partenaire de l'époque, Nicholas Hall. Robert O'Neil agissait comme avocat-conseil auprès de la commission. À la fin de son mandat à la commission d'enquête, Robert O'Neil avait accepté de s'occuper des affaires de l'entreprise de Tomas Vinci.

Tomas Vinci ne passait pas inaperçu, il dégageait ce charisme des grands politiciens américains. Un corps d'athlète, un air à la Clinton et ce sourire qui vous mettait rapidement en confiance. Son grand-père, venu de Milan avec comme seul passeport des centaines d'esquisses, avait fait fortune dans Manhattan. Et depuis le rêve se poursuivait de père en fils.

– Vinci à l'appareil. How are you, sir? Long time no see! Still lunching at Delmo? Best sea food in Montréal!

Vinci charmait aussi par sa mémoire. Il vous manifestait de l'intérêt en se rappelant le nom de vos proches ou votre restaurant favori.

– Pauvre Robert, je ne le croyais pas capable de poser un geste pareil! Il paraissait fatigué, stressé lors de notre dernière rencontre. Vinci parlait un français impeccable, chanté à l'italienne.

– Il a pris tout le monde par surprise. Sa fille Tania est dans un état lamentable.

– J'ai aussi parlé à Pamela, la secrétaire de Robert. Elle est très affligée. Tout semblait aller mal pour Robert ces derniers temps. La veille de son arrivée à Montréal, il s'était même fait voler son automobile!

– Je suis au courant, rétorque John en jouant avec un élastique. L'information circule que le voleur est un certain Gariépy. Un jeune qui vole pour des plus gros. Deux autres voitures sont disparues ce soir-là du même stationnement.

– Je compte passer la dernière fin de semaine du Festival de jazz à Montréal. On dîne ensemble?

– Oui, oui, répond John en s'essuyant le front. Appelle-moi.

V

Viviane remercie le ciel que son époux Bernard ne l'ait pas accompagnée aux funérailles de Robert. Trop déprimé, Bernard n'a pas la force d'accepter la mort de son grand ami.

Depuis la maladie de Bernard, Robert O'Neil les avait aidés dans la gestion de leur bijouterie de la Place Ville-Marie. Puis lors d'un souper à New York, elle pour y faire des achats, et Robert pour y courtiser un client, ils avaient éprouvé une attirance troublante. Depuis, Robert l'appelait «la femme de sa vie» et elle s'était mise à y croire.

Pourquoi Robert s'est-il tué? Cette question ne la quitte plus. Comment cacher sa peine? On ne pleure pas la perte d'un amour comme on pleure la mort d'un ami. Robert disparu, il lui faudrait masquer son désarroi.

Elle n'avait pas été capable de parler de cette liaison à Bernard. S'en doutait-il? Jamais il ne l'avait laissé paraître. Pourtant autrefois, il avait déjà manifesté des signes de jalousie à l'égard de fournisseurs plus flirts que d'autres.

Viviane se concentre avec difficulté sur sa conduite automobile. Bernard et elle ont aménagé au complexe d'habitation Tropique Nord, il y a bientôt trois ans. Harvey les avait convaincus d'y acheter un condo. Elle avait été séduite par ce complexe, à cinq minutes du centre-ville, qui côtoie le fleuve et la ville. Enfermé dans une immense serre qui adoucit l'hiver et prolonge l'été, chaque appartement s'ouvre sur un jardin tropical luxuriant. Un vent doux y caresse votre peau et on a l'impression de vivre au soleil à l'année. Viviane s'y plaît plus particulièrement depuis que Bernard refuse de voyager.

Plus dépressif que maniaque, Bernard néglige souvent de suivre les prescriptions de son psychiatre et compose de moins en moins avec le quotidien. Dans la cinquantaine, les cheveux en broussaille, un visage émacié et les yeux voilés par des angoisses indéchiffrables, il n'est plus l'homme qu'elle a déjà tant aimé.

Ils se sont rencontrés à Paris, dans les années 1970. Elle, étudiante à la Sorbonne, complétait sa maîtrise en lettres sur Jean Cocteau. Cet artiste l'éblouissait. Bernard, lui, à l'école des métiers, terminait sa formation en horlogerie. Les montres Rolex, Omega et Cartier n'avaient pas de secret pour lui: mouvement, balancier, couronne et boîtier, perfection et minutie, des joyaux. Viviane, conquise par la délicatesse de l'homme et le raffinement de son art, allait revenir au pays sans terminer son mémoire. Commencera alors une belle aventure. D'abord l'ouverture d'une petite boutique sur l'avenue du Parc puis le défi de la «Grande Dame», la Place Ville-Marie. Ils allaient investir leurs économies et tout leur temps dans une bijouterie de prestige.

Lundi soir dernier, elle soupait avec Robert au restaurant Le Cirque 2000 sur l'avenue Madison à New York. Il lui avait reproché sur un ton taquin ce choix très *jet set*! Elle avait souri et répliqué à la blague que son idole Al Pacino y trouvait la table excellente. Quelle n'avait pas été leur surprise de constater qu'il y était! Le lendemain, elle était rentrée seule à Montréal. Robert avait encore du travail avec son client Tomas Vinci.

Elle se remémore le dernier message de Robert sur la boîte vocale de son cellulaire: «Mon amour, j'ai laissé mon ordinateur et d'autres documents importants dans ma voiture stationnée au garage. Tu me gardes la mallette jusqu'à mon retour?» Ce n'était pas la première fois que Viviane récupérait ainsi la mallette de Robert. Il lui était même arrivé de la garder à la maison quelques jours.

À sa grande surprise, elle avait constaté que la Mercedes de Robert n'était plus dans le stationnement souterrain de la Place Ville-Marie. Pamela avait rapporté ce vol à la compagnie d'assurances et à la police.

Viviane sent que la journée est interminable tout comme cette dernière semaine, un cauchemar qu'elle voudrait effacer de sa mémoire.

Que reste-t-il à Viviane, cet homme malade qu'elle n'a pas voulu quitter? Elle est seule maintenant avec au fond d'elle-même ce désir de croire que Robert ne l'a pas complètement abandonnée.

VI

De son bureau du 30ᵉ étage, Tomas Vinci aperçoit les studios de la NBC. Le mobilier en bois de rose est éclairé par un plafonnier en forme de petites coupoles en verre de Murano, la ligne est pure et la lumière directe. Deux canapés recouverts d'un riche tissu écru complètent l'ensemble. Des milliers de dollars s'envolent chaque mois pour ce local situé au cœur de Manhattan mais, pour Tomas Vinci, «Money is no object».

– Il faut faire vite, les créanciers du club de golf crient. Et ton avocat qui se flambe la cervelle! Faut payer dans 10 jours sinon on perd tout.

Tomas Vinci fait face à un homme d'une trentaine d'années. Il l'écoute en griffonnant des chiffres sur un bout de papier. Robert O'Neil devait se charger de régler les comptes avec les créanciers. Il aurait dû être en possession de 1 000 000 $ à son retour de New York.

L'information avait été confirmée par l'homme de main de Vinci.

– Écoute, Michael, de dire Tomas Vinci en regardant à l'extérieur par la fenêtre panoramique, tu as tes contacts à Montréal, règle ça. Localise le voleur de l'auto, un dénommé Gariépy.

Sur ces derniers mots, Tomas Vinci se retourne et se lève pour lui signifier son congé. En le reconduisant à la porte, l'homme lui pose la main sur l'épaule.

– Se tuer juste avant la conclusion de cette affaire au tarif que tu le payais! Y a vraiment rien compris! Ou y avait pas besoin de fric, ce gars-là! ajoute Michael sur un ton sarcastique.

Tomas Vinci n'achète pas cette dernière hypothèse. C'est son argent dont il est question, après tout!

VII

– Vanessa Lamarche, grouille-toé. Tu passes à la cour aujourd'hui, crie la geôlière aux bras potelés.

Les barres de fer se déplacent latéralement. La surveillante est entrée dans la cellule. Vanessa ne flotte plus dans ses flots bleus. Sa barque a échoué. Tels ceux d'une handicapée, ses doigts crispés s'accrochent péniblement au drap délavé et jauni par son souper de la veille. On dirait une chatte égarée au milieu d'une mer sans horizon.

Le ton de la geôlière s'adoucit.

– Hé fille, fais un effort, lève-toé. Faut que je te descende, tu dois être fouillée et tu pars pour la cour dans

15 minutes. Maudit que t'as l'air poquée! Je m'demande pourquoi y t'ont pas gardée à l'infirmerie.

Depuis deux jours, Vanessa loge dans l'aile C de la prison pour femmes Tanguay. Elle criait trop à l'infirmerie. On l'a transférée dans l'aile des crackpots. Sa cellule est petite mais pas plus laide que les autres. La détresse y est omniprésente et les murs gris sont décorés par des dessins de pattes de mouche et des macramés de phentex.

Pourtant paniquée par l'invasion de l'intruse dans sa cellule, Vanessa réagit lentement. Les paupières dans les vapeurs, son corps anorexique bouge avec difficulté. Sa maigreur est sculptée de coups de seringue tout le long des veines de ses avant-bras. Le moindre mouvement relève de l'exploit olympique.

– J'ai pas d'affaire à la cour, laisse-moé tranquille.

Vanessa se recouche dans ses draps sales. La surveillante répète presque patiemment.

– J'ai pas le choix. Envoye, viens-t'en.

Vanessa se lève péniblement. Elle insère son chandail à l'intérieur de sa mini-jupe fripée et sort de sa cage en titubant sur ses talons aiguilles. Conduite dans une grande salle aux néons bleuâtres, cigarette aux lèvres, elle attend avec les autres d'être prise en charge pour le voyage vers le palais de justice de Montréal.

– Vanessa Lamarche, en ligne comme les autres!

Elle est embarquée comme une pièce de bétail dans un grand autobus bleu. Personne ne parle sauf la folle de l'aile D qui chante toujours la même chanson: «Si tu ne m'aimes pas, je t'aime, prends garde à moi.»

– Es-tu assez fuckée, elle! lance le conducteur. À chante toujours la même toune!

– On arrive-tu? J'ai mal au cœur, prononce difficilement Vanessa.

Comme toujours le trajet est interminable. Vanessa survit. Elle sent les rues cahoteuses de la ville, les yeux fermés, sa drogue de l'oubli ne faisant plus effet. La vie en noir et blanc.

On descend de l'autobus dans le ventre du dragon, le palais de justice de Montréal. Ce n'est pas sa première visite. Deux fois, elle y est venue pour des vols à l'étalage, puis à plusieurs reprises pour des causes de stupéfiants.

– Les filles, tassez-vous à droite le long du mur!

On passe encore à la fouille avant d'être amené à la salle de cour.

– As-tu quelque chose pour me geler? demande Vanessa à la surveillante qui, feignant de ne pas l'entendre, la tire par le bras et la pousse dans l'ascenseur.

– Lamarche, salle 406.

Vanessa ne comprend pas ce qu'elle fait là. Son avocat ne lui a pas rendu visite. Et puis, tout cautionnement lui a été refusé à sa comparution pour possession d'héroïne. La date de son procès est déjà fixée au mois prochain.

La lourde porte d'un vert hôpital s'ouvre sur la cour. La salle des misères, dans le jargon juridique, la chambre de pratique. Les avocats de la défense sont alignés en rang d'oignons, comme s'ils attendaient d'être pesés à la caisse d'un supermarché.

– Votre honneur, puis-je parler à ma cliente quelques instants? questionne un moustachu au front dégarni.

Mᵉ Jean Legault, un ancien de la couronne qui arbore depuis peu les armoiries de la défense, celles-là même qu'il décriait tant dans son autre vie! Sa médiocrité l'a suivi de l'autre côté de la table.

La juge, accaparée par les représentations d'un autre avocat, acquiesce d'un léger hochement de tête. Mᵉ Legault s'adresse à Vanessa dans le box des accusés.

– Écoute, j'ai convaincu la couronne de t'envoyer en désintox. Signe ici la demande d'aide juridique. J'ai travaillé fort pour que tu sois remise en liberté.

De l'argent vite fait, pense en souriant Mᵉ Legault. On allait remettre Vanessa en liberté à la demande de la police. Son frère Philippe est un informateur.

– La 62ᵉ sur le rôle, madame la juge, Vanessa Lamarche. Dans cette affaire, la couronne va consentir à envoyer ma cliente en cure de désintoxication, clame fièrement Mᵉ Legault.

Vanessa comprend en apercevant son frère assis dans la deuxième rangée. Ses yeux la supplient de se faire traiter encore une fois.

Malgré son jeune âge et son visage maternel, la juge nouvellement nommée ne fait pas la vie facile aux accusés.

– Vous consommez quoi et depuis quand? demande-t-elle en regardant Vanessa qui ne sait pas comment répondre:

– J'me pique, ose-t-elle, en allongeant ses deux bras, mais j'prends aussi de la coke. Ça fait ben longtemps.

– Vos antécédents judiciaires sont-ils reliés à votre consommation? questionne la juge.

– Ouais, de répondre Vanessa timidement.

– Vous serez confiée à un représentant de la maison Pélican. C'est cela, Me Legault? Vous devrez y demeurer 24 heures sur 24. Vous devrez suivre les règlements de la maison. Et vous reviendrez à la cour. La date du procès est déjà fixée? demande le juge.

– Le 29 août, dans une salle à désigner, de répondre un grand maigre sans énergie qui fait parure d'avocat de la poursuite.

– Ça va être raide pis *cold turkey*, c'est encore pire, murmure Vanessa au gardien qui tient la porte de sortie vers les cellules.

– Y ont-tu de la méthadone au Pélicanos? ajoute-t-elle.

Philippe l'a regardée quitter le box des accusés. Sa sœur, une sainte vierge déguisée en junkie.

VIII

Jacqueline a cuisiné mon plat favori, un rôti Sheppard, un filet mignon farci au foie gras. Pauvre Jacqueline, c'est son anniversaire et je n'ai même pas eu la force de la gâter. Trois jours se sont écoulés depuis la mort de papa. Nous devions aller souper au restaurant tous les trois. J'ai l'impression de vivre suspendue à un fil; je dors à peine et me nourris avec parcimonie mais ce soir, pour Jacqueline, je ferai bonne figure.

Mon amie Christiane m'accompagne. Dieu merci, le hasard l'a remise sur ma route! J'ai revu Christiane, il y a six ans, à mon retour de Californie. Je revenais à Montréal pour fréquenter l'université. Plus par insouciance que pour faire plaisir à papa, j'avais choisi de m'inscrire à la faculté de droit. Je n'avais pas revu Christiane depuis la fin du secondaire et pourtant notre amitié n'avait pas pris une ride. De son côté, elle revenait vivre à Montréal après avoir quitté un mari infidèle; chirurgien à l'Hôtel-Dieu de Québec, il s'était envoyé en l'air avec une bonne demi-douzaine d'infirmières. Christiane, travailleuse sociale de formation, avait décidé de se consacrer aux enfants de la rue, d'où son emploi à Cactus pour aider les héroïno-manes. Elle n'aspirait plus à vivre avec un homme et du même coup elle avait renoncé à la maternité. Depuis, elle avait ses aventures, mais «je ne troquerai plus ma liberté au nom d'un autre prétendu amour éternel», disait-elle. Sa déception amoureuse l'avait marquée au fer rouge.

Ma tante habite un coquet haut de duplex dans le quar-tier Côte-des-Neiges, à quelques pas de l'Université de Montréal. La pièce du fond, avec ses grandes fenêtres sur la montagne, sert d'atelier de confection. Elle est chape-lière. De la rue, on y aperçoit des têtes de mannequin coiffées de rubans de soie, de plumes d'autruche et de velours brodé. Je me rappelle mes retours de l'école alors que d'élégantes dames se miraient en bavardant de la dernière mode. Je préparais le thé pendant qu'elles feuilletaient le dernier numéro de la prestigieuse revue *Vogue*. Aujourd'hui, la mode n'est plus au couvre-chef. Jacqueline confectionne ces petits bijoux pour le cinéma et quelques coiffes aussi pour les artistes du Cirque du Soleil. Elle est l'unique sœur de mon père et me chérit comme si j'étais sa fille, «mon cadeau du ciel», me dit-elle.

Toute menue, elle est d'une grande élégance. Vêtue d'un pantalon de soie beige et d'un chemisier azur, même avec les traits tirés, elle peut facilement passer pour ma sœur aînée. Nous sommes à table toutes les trois. La porte du balcon est entrouverte. Une faible brise nous rejoint.

– Dis-moi, c'est toi qui as confectionné le joli chapeau que portait Viviane aux funérailles de papa?

– Oui, ton père lui avait parlé de moi. Elle est venue pour la première fois à l'atelier l'été dernier. Ça a cliqué tout de suite. Depuis nous sommes devenues bonnes amies.

Je perçois une certaine hésitation dans la voix de Jacqueline et elle continue:

– Ton père m'avait confié son grand amour pour Viviane. Mais elle ne se décidait pas à quitter son époux Bernard.

– Viviane et papa. J'aurais dû y penser... Il ne m'en a jamais parlé... Tous ces voyages à New York en même temps qu'elle... Tant de cachotteries!... Je lui en veux...

– Ton père a sûrement fait cela pour ne pas te blesser, d'ajouter Christiane tout doucement.

– Il y a des amours qu'il vaut mieux garder pour soi... Je le comprends. Sur ces mots, Jacqueline ouvre le médaillon qu'elle porte au cou.

– C'était l'année de ta naissance. On se voyait en cachette. Il était marié. Puis un jour, il a quitté le pays et j'ai refusé de le suivre. Il était géologue. Des années ont passé et j'ai reçu ce médaillon avec cette photo de lui. Il me demandait d'aller le rejoindre. Puis avant que je me décide, il fut victime d'un terrible accident. Il est mort en Afrique à la suite de blessures causées par une explosion.

– Et vous n'avez rien dit pendant tout ce temps? lui demande Christiane.

– Les gens ont tous leur jardin secret. C'est comme ça. Pour ne pas avoir plus mal, on se tait, d'ajouter Jacqueline.

La mort de papa l'affecte terriblement. À peine un an depuis la fin de ses traitements de chimiothérapie. Le «crabe» qui peut revenir la bouffer encore à tout moment, sans avertissement. Pendant cette difficile période, on l'avait vue coiffée de magnifiques turbans. Un grand magasin du centre-ville lui avait même demandé d'en créer quelques modèles en exclusivité. Jacqueline avait ainsi réussi à tirer de cette terrifiante maladie des motifs de survie.

Comme elle ressemble à papa: un visage ovale et ce teint foncé à longueur d'année. Mon père pouvait facilement passer pour un bel Argentin. Bien des femmes ont souhaité se retrouver à son bras.

– Dis-moi, ton père était rentré de New York quelques heures avant sa mort? demande Christiane après quelques instants de silence.

– Oui, il avait passé les deux derniers jours avec Tomas Vinci. Papa s'occupait des aspects légaux de ses importations.

Avalant difficilement ma bouchée, je sens en moi monter ma peine; c'est physique, comme une vague qui part du fond du ventre puis qui vous serre la gorge et meurt en se brisant sur vos tempes. Et toujours cette même question obsédante: pourquoi mon père s'est-il tué? Christiane me regarde et sent mon désarroi.

– À la mémoire de Robert O'Neil! dit-elle en levant son verre.

– On jurerait qu'il est avec nous, ce soir… Que disait-il déjà? demande Jacqueline. Ah oui: «En cette chaude soirée d'été, ah que ce Chiroubles me trouble! Salute.»

Cette nuit, je resterai à dormir ici, dans ma chambre d'adolescente entre mes affiches d'Harmonium, de Cat

Stevens et de The Police, dans ce décor qui n'a pas bougé depuis mon départ de la maison.

IX

Les ouaouarons coassent à en déranger tout le voisinage. Nicholas grille une bonne cigarette. Il fait nuit. Devenu *gentleman farmer* depuis sa retraite, il peut maintenant consacrer beaucoup de temps à sa passion, les chevaux. Il en prend soin et voyage souvent seul. Sa femme souffre d'agoraphobie. Elle reste confinée à la ferme. Nicholas s'occupe de tout.

Comme dans la chanson, Nicholas veille sur le perron de sa maison de campagne avec son labrador noir, Cartouche, nom prédestiné puisque la pauvre bête n'a qu'un œil, un projectile tiré par un fou furieux l'ayant privée de l'autre. Après cette journée éprouvante, Nicholas songe à Tania. Toujours aussi pétillante. Il se rappelle leur première rencontre. Elle, au contentieux de l'aide juridique, lui, enquêteur à la patrouille de nuit. Le Montréal interlope n'avait pas de secret pour lui. D'une quinzaine d'années sa cadette, de petite taille, Tania dégageait une assurance qui avait frappé Nicholas. Il était alors enquêteur dans une sordide affaire de vol à main armée.

– Êtes-vous la fille de Robert O'Neil? Terminée la vie d'artiste? On revient aux vraies choses de la vie?

Il avait tout de suite constaté qu'elle n'appréciait pas ce genre de remarque. La fille de son père, jamais! Elle voulait se démarquer, seulement du droit criminel pour elle.

À son premier procès devant jury, Tania O'Neil visait l'acquittement de son client. Même devant la preuve

accablante, elle n'avait jamais douté qu'il disait la vérité!
Il n'avait pas commis ce vol.

– Mon client est innocent. Mais il n'a pas de défense
d'alibi à présenter. Lorsqu'on vit dans la rue, on ne tient
pas de registre de ses allées et venues, avait-elle lancé
sur un ton ferme.

Nicholas n'avait pas répondu. Le credo des avocats de
la défense, clamer l'innocence des coupables! Andrew
Wilson était reconnu comme l'un des voleurs les plus
actifs de la région. Il avait une longue feuille de route.
Consommateur de crack, toujours le même *modus ope-
randi*, les stations-service la nuit. Il attaque un étudiant
payé au salaire minimum en exhibant son «morceau»,
comme ils désignent leur arme à feu dans le milieu. Une
race de peureux! Nicholas les surnomme les «rats
blancs». Andrew Wilson, un innocent! Il fallait être jeune
et naïve pour croire cela.

À l'époque, Nicholas avait plus de 15 ans de service
comme policier et il ne parlait déjà plus beaucoup aux
avocats, ni à ceux de la poursuite ni à ceux de la défense.
Selon Nicholas, ces derniers ne pensaient qu'à leurs
honoraires; il y avait une exception, les membres du
contentieux de l'aide juridique. Ce groupe d'idéalistes
étaient cependant en voie de disparition car le gouvernement n'entendait plus investir dans ce secteur. Chez les
avocats de la poursuite, quelques-uns travaillaient encore
avec passion mais la plupart d'entre eux recherchaient
d'abord la sécurité d'un job de 9 à 5. Une permanence à
la misère humaine.

Le procès d'Andrew Wilson avait duré deux semaines.
Une dizaine de témoins furent entendus et malgré les
nombreux antécédents judiciaires de son client, Tania
avait fait témoigner son client, car si les jurés le croyaient,
c'était la meilleure façon de le faire acquitter.

Les délibérations du jury étaient commencées depuis une journée lorsque Nicholas reçut l'information. Wilson avait été vu à l'autre bout de la ville au même moment où le vol qualifié avait été commis. À la maison pour les sans-abri Dernier Secours, ivre, il dormait.

Le procureur de la couronne avait alors prétendu qu'il était trop tard et pas nécessaire de divulguer cette nouvelle preuve. Wilson serait certainement déclaré coupable. Dans notre système de droit, l'un des meilleurs au monde, l'accusé n'a qu'à porter sa cause en appel. Un truand, un bon à rien, ce Wilson. Il serait à l'ombre de toute façon pour quelques années!

– Me O'Neil, pourrais-je vous parler ?

– Le jury s'est retiré. Est-ce vraiment nécessaire? avait-elle répondu. Nicholas n'avait pas pu déceler si le ton était railleur ou volontairement distant.

– Votre client a un alibi. Un gardien du centre où il a passé la nuit m'a joint ce matin après avoir lu le compte rendu du procès dans le journal *La Presse*.

– Que proposez-vous de faire? ajouta-t-elle à voix basse, sans surprise et presque hautaine.

Ils étaient tous les deux dans une petite salle mal éclairée au quatrième étage du palais de justice.

– Il faudrait parler au juge mais d'abord convaincre l'avocat de la poursuite de le rencontrer avec vous.

Nicholas avait de l'expérience. Les règles de déontologie obligeaient les avocats des deux parties à rencontrer le juge ensemble. Le représentant du ministère public devait coopérer et faire bonne figure, d'autant plus qu'âgé d'une quarantaine d'années, il espérait une nomination au tribunal de première instance.

Le juge mit fin aux délibérations du jury et ordonna un arrêt des procédures. La poursuite présenta un nouvel acte d'accusation mais déclara ne pas avoir de preuve à présenter. Andrew Wilson fut acquitté.

Depuis, Nicholas croyait que son travail de policier pouvait aussi servir à innocenter un accusé. Perfectionniste, il l'était encore plus lorsqu'il savait un coupable en liberté.

X

Les belles soirées de juillet, la liberté sur les toits des édifices de la rue Sainte-Catherine. Philippe, alias Perk, avec ses deux canettes de rouge vermeil, en haut du cinéma Palace, peint un mur qui semble se continuer dans l'espace. L'euphorie. Ils se sont donné rendez-vous sans se parler, Tim, Félix et Philippe. Ils ont 15, 18 et 20 ans. Pas de fille dans le groupe. Un joint pour l'inspiration et le rituel du graffiti au menu presque chaque nuit. En silence, on peint son *tag* ou un *piece*. Des bouteilles de bière vides et des canettes de peinture aérosol couvrent ce toit du monde.

Philippe est sage depuis sa majorité. Il a quitté la gang dont il faisait partie à la mort de son ami Snake, il y a de cela deux ans. Consommateur de PCP, Snake s'était servi à même la cote. Ses fournisseurs, des gars de bicycle n'ont pas aimé ça. Ils l'ont descendu. Survolté, Philippe a remis le carnet de Snake au policier chargé de l'enquête. En échange, ce dernier l'a aidé à retrouver sa sœur Vanessa.

Le soir est d'un bleu presque noir, l'air est difficile à respirer, rien ne bouge, le smog. Il y a aussi cette odeur de peinture qui vous monte à la gorge. Philippe, le dos appuyé au mur de l'édifice voisin, parle au ciel. Il entend comme au loin une chanson que sa mère écoutait souvent sur un vieux disque de Georges Harrison, *Everything must pass*; c'était quelques mois avant sa mort. Sans père connu, sa sœur et lui seraient confiés à deux familles d'accueil différentes. Pendant quatre ans, il n'allait plus la voir qu'à Noël.

Il s'était alors juré de la retrouver plus tard, ce qu'il fit. Vanessa dansait nue dans un bar. Avec ses yeux d'un gris pâle qui lui dessinent comme une larme, Vanessa se droguait déjà à l'héroïne.

Philippe avait réussi à la sortir de sa cage. Ils résidaient à l'étroit dans une deux et demi mais ils étaient heureux d'être ensemble. Le retour à l'école avait été un calvaire pour Vanessa. Lui, chauffeur de taxi, trimait dur. Puis Vanessa s'était mise à s'ennuyer et un nouveau *hit* a tout chambardé. L'enfer avait recommencé. Philippe s'en était aperçu une nuit en rentrant plus tôt. En manque, Vanessa avait vendu son baladeur sans lequel il ne pouvait s'endormir. Les mégots de cigarettes plein le cendrier, les vêtements éparpillés sur le divan, Philippe avait tout de suite compris. Le lendemain, à l'école des décrocheurs, on lui avait confirmé les absences de sa sœur.

Encore la semaine dernière, Vanessa avait été arrêtée en possession de cette saleté de drogue. Le juge l'avait détenue en attente de son procès. Mais Philippe avait négocié en échange d'une toute petite information que Vanessa subisse une cure de désintoxication. Dans le milieu de la police, un service en attire un autre.

«Il ne faut jamais se décourager», lui disait souvent sa mère. Ce soir, en parlant aux étoiles, Philippe se répète cette phrase et sa promesse de prendre soin de sa sœur.

Mardi 27 juin

I

Assez futée merci, Caro s'arrange toujours pour livrer son courrier sans avoir à revenir sur ses pas. Habituellement, son horaire de travail commence très tôt le matin et elle profite ainsi de son après-midi. Plusieurs de ses compagnons préfèrent les livraisons de fin de journée, leur vie nocturne est trépidante.

Caro s'est levée tôt ce matin, à cinq heures, avant le soleil. Contrairement à ses habitudes, elle n'a pas lu, elle n'a pas dessiné; elle n'arrive pas à oublier le cadavre du bureau d'avocats. Et cette ombre qu'elle a vue sortir précipitamment. Les yeux noirs de cette personne et la sueur sur son front la poursuivent.

– M'a-t-on remarquée ?

Elle frémit juste à y penser. Pour se reposer la tête avant d'aller travailler, elle se remémore sa première visite dans cette maison qu'elle habite depuis à peine deux saisons. Un vieux truc de sa mère, pour se détendre, il suffit d'évoquer un souvenir heureux.

– Vous pourrez l'aménager comme il vous plaira, lui avait mentionné le propriétaire.

– Et les voisins? lui avait demandé Caro.

– Toutes des personnes vivant seules, pour la majorité des femmes. Vous vous plairez ici, on se croirait à la campagne. Les immeubles qui entourent le jardin coupent les bruits de la ville.

Située dans le Mile-End, en plein cœur de Montréal, elle avait été attirée par cette ruelle fermée à la circulation, charmée par les quatre logements alignés. Les bâtisses en bois d'un jaune éclatant ouvrent sur une allée d'arbustes variés et de pots en terre cuite qui lui rappellent les petites maisons des revues de voyage que sa mère feuillette souvent.

– À défaut de la Provence, tu pourras toujours admirer le jardin en sirotant un verre de vin, lui avait dit Caro en riant.

Depuis son arrivée, elle a travaillé fort à enlever les cloisons du premier étage, à décaper les boiseries de la cuisine et des deux uniques fenêtres du rez-de-chaussée. Assise à table, elle n'a qu'à tourner la tête pour regarder d'un côté les fleurs, et de l'autre les passants du petit matin.

Aujourd'hui, elle n'a pas le cœur à l'ouvrage. Elle descend l'escalier longeant le mur du rez-de-chaussée. Son vélo l'attend au centre de la pièce. Elle allume le poste de radio. Les mêmes nouvelles, on annonce un orage en fin de journée. On ne parle pas du mort.

Le téléphone sonne et la secoue de ses sombres pensées. À l'autre bout du fil, on ne dit rien. Caro raccroche. Puis, à la cuisine, elle se prépare un bol de café au lait. Pour ce matin, c'est suffisant. Caro n'a pas faim, contrairement à ses bonnes habitudes. La sonnerie du téléphone l'interrompt:

– Peut-être Charlie, souhaite-t-elle.

– Allo… Allo… Allo…

Toujours sans réponse. Caro dépose bruyamment le récepteur. Quelqu'un qui a du temps à perdre. Elle réussit à peine à prendre quelques gorgées de café que la sonnerie du téléphone retentit pour la troisième fois.

– C'est intelligent d'appeler pour respirer! Bon, ça suffit!

Troublée, elle vérifie machinalement les pneus de sa bicyclette; elle risque tous les jours sa vie en pédalant. Le réflexe de survie d'un cycliste doit être bien aiguisé pour réussir à se faufiler entre deux automobiles. Les horaires sont chargés, particulièrement l'été, les klaxons hurlent, les lumières clignotent et les portières s'ouvrent sans prévenir.

Mal dans sa peau, Caro ne sent pas la frénésie du deux-roues, ce matin. Elle ronge son ongle jusqu'au sang. Après s'être passé le doigt à l'eau, elle mouille et lisse ses sourcils, puis pince ses joues pour se donner un air de santé. Son léger sourire du coin des lèvres ne revient pas ce matin et ses jambes musclées la supportent difficilement. La journée n'est pas entamée que la chaleur enveloppe déjà la rue. Il est encore tôt. La rosée perle les plantes et le soleil se faufile à travers les maisons.

Caro remarque une Ford Taurus noire stationnée en retrait qui démarre au moment où elle enfourche son vélo. Un chat noir traverse la rue. Caro pédale plus vite pour effacer ce mauvais pressentiment qui l'assaille à l'instant.

II

Huit heures, un premier rendez-vous pour Harvey Morris, un petit déjeuner au Ritz avec M. Ross. Un client du bureau qui rapporte beaucoup et qui n'a pas voulu annuler son rendez-vous malgré la mort de Robert. Harvey réussit à passer outre le mouvement répétitif des muscles du visage de M. Ross. Il a cette capacité de faire abstraction des détails et de se concentrer sur un point particulier mais ce matin l'exercice lui est pénible.

La rencontre terminée, Harvey fait un saut au bureau. Assis devant ses dossiers, il se frotte la nuque, tête baissée. Un coup à sa porte de bureau le fait sursauter:

– Mᵉ Morris, vous, ça va mieux? Il faut récupérer. Vous devriez prendre quelques jours de repos.

– Mais non, Pamela, ne vous inquiétez pas. Vous verrez, tout va rentrer dans l'ordre sous peu, rétorque-t-il en feignant l'indifférence.

– Voici vos messages. Un dénommé M. Black essaie de vous joindre. Ça fait trois fois qu'il appelle et il ne veut pas laisser son numéro. Il n'a pas l'air commode, d'ajouter Pamela une pointe de curiosité dans la voix.

Harvey ne répond pas. Les indiscrétions de Pamela l'ont toujours indisposé. Il tambourine avec ses doigts tout en regardant cette femme dévouée, soucieuse d'autrui en autant que sa curiosité est rassasiée.

Intriguée, Pamela poursuit sur un ton inquisiteur.

– Monsieur Black est un nouveau client de… Mᵉ O'Neil. Et, comme pour le réconforter, elle ajoute sur un ton maternel:

– C'est difficile, n'est-ce pas, Mᵉ Morris?… Moi, je le vois partout… Cette tragédie ne doit pas aider votre mal de dos!

Harvey fixe son dossier en espérant que Pamela se taise. Plantée droite devant lui, elle le dévisage puis tourne les talons.

– Si vous avez besoin de quoi que ce soit, vous m'appelez... même à la maison...

Dès qu'elle franchit la porte, Harvey s'empresse de sortir un papier de son tiroir. Des lettres de différentes couleurs, de formes et de caractères variés l'interpellent. C'est la troisième lettre de chantage qu'il reçoit. On menace de dénoncer sa double vie. Son anxiété grimpe d'un cran. Il a déjà versé des montants d'argent mais là, 100 000 $, c'est trop. Harvey se frotte la nuque pour apaiser son mal. La sonnerie du téléphone le dérange.

– Me Morris, M. Brault voudrait vous parler.

– Pamela, dites-lui que je vais le rappeler, je termine un dossier.

– Mais il insiste! Il veut discuter de son avis de cotisation. Il affirme avoir produit toutes les pièces justificatives et il a reçu hier un rappel pour les intérêts.

– Débrouillez-vous en lui disant que je m'en occupe.

«Plus de réserve et plus de contrôle seraient de mise», soupire Harvey. Il ouvre son tiroir et prend un cachet pour endormir sa douleur. Les chiffres doivent balancer. Comment va-t-il couvrir sa maladresse? Et ce compte en fidéicommis à renflouer. Il aurait dû suivre son intuition et limiter sa mise au jeu.

– Ce soir, au casino, je suis certain que ça ira mieux, se dit-il à voix haute comme pour mieux se convaincre. Une chance qu'il bénéficiera de l'assurance-vie de Robert.

Et Alfredo lui manque de plus en plus. Mais ils ont jugé préférable de ne pas se voir tant que les lettres de chantage ne cesseraient pas.

III

Assise à son bureau, Pamela s'inquiète. Mᵉ O'Neil est mort et Mᵉ Morris s'égare. Lui son seul patron, maintenant. Pour calmer son anxiété, elle prend une biscotte.

– Si professionnel!... Mᵉ Morris n'est plus le même. Il ne veut même plus parler aux clients! Remarque que sa réaction est normale, se dit-elle à voix haute.

Devant l'étonnement de la réceptionniste, Pamela poursuit savamment.

– J'ai réécouté une émission d'Oprah hier soir. Je les enregistre toutes et les regarde en préparant mon souper. Elle s'entretenait avec un psychologue qui parlait du suicide. La réaction de deuil peut être longue. Oprah a dit que c'est normal que le deuil provoque des sautes d'humeur. Les vivants se sentent coupables...

Pamela place sa jupe. Elle s'examine après avoir jeté un regard envieux à sa compagne:

– Je me demande comment tu fais pour rester mince. J'ai beau faire attention, j'ai toujours quelques kilos en trop.

Pamela retourne à son écran et prend distraitement une autre biscotte de son sac.

Mᵉ Morris sort de son bureau en coup de vent.

– J'ai une course urgente à faire. Je serai de retour plus tard.

Pamela, biscotte en bouche, tente de le retenir.

– Mᵉ Morris, Tania aimerait vous voir... Elle a rencontré le comptable...

Pamela regarde Harvey disparaître du bureau sans se retourner. «Non, vraiment, il n'a pas la gentillesse de Robert O'Neil.»

IV

Nous nous sommes donné rendez-vous à la cafétéria de l'immeuble gouvernemental où se trouve le coroner. L'institut médico-légal occupe le 10ᵉ étage de cette bâtisse vétuste de l'est de la ville.

Attablée devant un café froid, j'aperçois Nicholas. Je me sens fragile. Mes cheveux sont tirés vers l'arrière et d'un trait de crayon j'ai souligné le manque de sommeil de mes yeux. Nicholas me dévisage. Que se demande-t-il? Sans doute, lui aussi, pourquoi mon père m'a abandonnée si brusquement. Nicholas Hall! Mon seul ami dans la police, comme je me plais à le taquiner! Il faut dire que depuis qu'il a pris sa retraite, on se voit moins souvent. Un type intègre! C'est grâce à lui que j'ai gagné mon premier procès devant jury!

Nous nous dirigeons tous les deux vers le petit local du coroner et nous nous y assoyons. Les murs montrent un beige sans âme que seul un Christ en croix vient rompre; quatre chaises au siège de vinyle et une table à pattes chromées complètent ce décor terne. De la pièce, on entend le murmure de bureaucrates affairés.

– Dis-moi, Nick, comment ce coroner peut-il être aussi catégorique?

– Je veux bien croire que tu rejettes ses conclusions, mais le docteur Lambert se base sur l'autopsie et l'enquête policière. Tu ne peux pas nier l'évidence, quand même!

Je sens que Nicholas regrette déjà ses mots. Il craint sans doute de me peiner davantage. Faut dire que j'ai la larme facile. Nicholas commence la lecture du rapport:

– Robert O'Neil a été trouvé dans son bureau vendredi le 23 juin vers 7 h 32 par sa secrétaire Pamela Stuart. Lors de la découverte, le corps de Robert O'Neil était vêtu d'une chemise bleue et d'un costume marine...

– Je me souviens de cet habit. J'étais allée le choisir avec lui chez Valérie Simon sur la rue Laurier. C'était un Hugo Boss. Qu'il avait l'air jeune et à la mode! Il tranchait sur tous ces avocats qui portent complet gris à rayures. Enfin...

– Le corps en position penchée était sur un fauteuil de cuir rouge.

«Un revolver 357, numéro de série 2864237, fut retrouvé sur le tapis, du côté droit de la chaise. Le chargeur était vide. Cette arme à feu appartenait à Robert O'Neil.

«Des feuilles de papier dont une avec une seule inscription, "Adieu", étaient déposées sur une pile de dossiers placés en ordre sur la table à proximité du corps.»

– Mon père n'était pas du genre à prévenir et cette note ne lui ressemble pas. Un mot... aucune signature... c'est ridicule... Y a-t-il une expertise d'écriture?

– Cela n'a pas été fait, mais Pamela aurait reconnu son écriture.

– Faudra la rencontrer pour éclaircir certains points.

– On continue?

– Lors de l'enquête policière conduite le même jour, il s'avéra qu'il n'y avait aucune trace d'effraction ni de violence ou de bousculade.

«Robert O'Neil gardait son arme à feu dans son bureau, selon Pamela Stuart.

«La préposée à l'entretien a terminé son travail chez O'Neil & Morris et lorsqu'elle est partie à 19 heures, Robert O'Neil était dans son bureau.

«L'agenda de bureau de Robert O'Neil n'indique aucun rendez-vous pour cette soirée. Pamela Stuart confirme cette information.»

– Le coroner écrit:

«Pamela Stuart mentionne que son patron était fatigué et soucieux ces derniers temps. Hormis la perforation au thorax, le corps de Robert O'Neil ne présentait aucune autre lésion traumatique. L'autopsie pratiquée révèle une plaie d'entrée sur la ligne médiane antérieure du thorax. Le projectile entré au thorax a été retrouvé à la partie supérieure gauche du dos. La cause du décès est attribuée au passage du projectile qui a perforé le poumon gauche, le péricarde et l'aorte et provoqué une hémorragie interne mortelle. Le projectile a été récupéré et envoyé à la section balistique pour expertise.

«Étant donné tous ces faits, je conclus que Robert O'Neil s'est donné la mort avec l'arme à feu trouvée sur les lieux.»

J'ai le souffle coupé. Une boule dans la gorge m'empêche de parler. Je me ressaisis.

– Je ne sais pas ce que tu en penses, trop d'éléments manquent. Et cette note! Le dossier n'est pas complet. Connais-tu la réputation de ce coroner?

– Non, je vais obtenir ces informations. En attendant, je crois que tu devrais aller te reposer. Nous pourrons reprendre cette discussion un autre jour... À propos, as-tu enfin fini par obtenir ton permis de conduire? me demande Nicholas sur un ton taquin.

V

L'heure avance. Un dernier témoin à joindre.

– Monsieur Boivin? Campbell à l'appareil. Je vous vois demain.

– Je ne crois pas. J'ai peur. L'accusé est passé deux fois devant ma maison.

La voix est hésitante.

– Vous auriez dû me prévenir, je suis là pour vous aider. Vous êtes le seul à pouvoir identifier l'accusé. Sans votre témoignage, il sera libéré! Vous devez venir au tribunal. C'est important.

Et le silence de son interlocuteur lui fait ajouter:

– J'irai vous chercher à 8 h 30. Je serai chez vous, ça va?

– Bon, d'accord, je vous fais confiance, monsieur Campbell.

John termine la conversation satisfait et dépose son élastique qu'il s'amuse à étirer depuis le début de l'appel. Au tour de Nancy, maintenant.

– Vous avez bien obtenu le 649-2000...

– Encore la boîte vocale de son cellulaire, quelle merde! Non, vraiment, je ne suis pas fait pour ça!

John ramasse son imperméable et part à toute vitesse.

VI

Dans un local enfumé du poste 34, John Campbell répète les rôles avec les membres de son équipe. Il veut éviter les ratés. Échaudé lors de sa dernière enquête en raison d'une bavure policière, il ne prend plus de risque. Opération Évasion doit réussir à tout prix.

– Les gars, Blanchette dirige une agence de voyages. C'est un «front». Son train de vie dépasse largement ses revenus. La majorité des transactions ont lieu sur place. Une dénommée Chantale, sa blonde, reçoit les clients à la réception. Les deals sont faits à l'arrière dans un petit bureau. Blanchette contrôle tout le secteur de la vente de stupéfiants de la région est. Plusieurs trafiquants sont à son service. Castiglio fera le deal avec lui. Il doit lui flasher les 60 000 $ dans le stationnement à l'arrière du 4562 de la rue de La Roche. Il prendra possession de la coke la même journée à l'agence de voyages. Pelletier et Fecteau, vous êtes affectés à la filature. Gendron et Harris, en back-up.

Castiglio est l'un des agents doubles les plus efficaces du service. Grâce à sa participation, John Campbell avait pu débloquer une importante somme d'argent.

Castiglio, dans la trentaine, a le look du parfait trafiquant. Les cheveux longs, bruns, tirés vers l'arrière, une barbe forte de deux jours et une boucle d'oreille complètent le portrait. Il faut être fou pour faire le métier d'agent double.

– Écoute, Campbell, ce gars-là a son stock ben facilement. Chaque fois que j'augmente la quantité, il répond qu'il n'y a pas de problème! Donne-nous un buzz dans une heure et tu auras ton stock! Il répète toujours la même affaire. Et don't forget the money!

– J'espère que tu as raison, de répondre John Campbell, debout, affairé à tirer des élastiques.

– J'ai pas de problème avec ce deal. Ça marchera. Blanchette a toujours faim.

– Il faut le coincer. Il me font tous chier, ces trafiquants. Une gang de profiteurs, lance amèrement John Campbell au grand étonnement des autres policiers. Alors le scénario est le suivant: Castiglio entre à l'agence avec la valise par la rue Mont-Royal. Dès que le paquet est livré, le signal est donné et on frappe. Compris? On se reparle demain. Bonne chance, les gars.

Dix-neuf heures, une autre journée qui prend fin. John Campbell se demande en regardant vers l'extérieur comment composer une autre soirée avec sa nouvelle conjointe Nancy et ses fantasmes de bébé. Dans quelle galère s'est-il embarqué?

Après 20 ans de mariage, son épouse Charlotte était partie sur ces mots: «J'en ai assez de toi, de ta rigidité, de ton égoïsme. Je m'en vais.»

Il s'était vite dépêché de garnir de dessous féminins le tiroir supérieur de sa commode. Nancy, professeure d'aérobie, horaires compliqués mais au corps de déesse. Elle l'avait séduit dès leur première rencontre alors qu'elle était témoin dans une affaire de vol. Il l'avait alors invitée à dîner après son passage à la cour. Quelques jours plus tard, un souper chez Soto, une même passion pour les sushis. Puis, ils s'étaient rendus chez elle. Nancy était habillée de façon outrageusement *sexy*. Il se souvient de sa jupe noire fendue et de son chandail moulant où se dessinaient pointés ses seins fermes. Quel plaisir de glisser une main sous sa jupe et d'effleurer sa peau si douce. Et le goût de son rouge à lèvres! Ils s'étaient embrassés passionnément dans les escaliers menant à son appartement. Une fois le seuil de la porte franchi, sa moue langoureuse l'avait aguiché et il avait fait tomber sa jupe le long de ses jambes et l'avait basculée sur le canapé du salon. Elle n'avait pas bronché. Il avait alors posé ses mains sur ses seins, sur son ventre creux et enlevé son slip, en caressant son sexe. Incapable de résister, il s'était rapidement débarrassé de son pantalon pour finalement s'engouffrer en elle. Depuis, il baisait à ses rythmes et fantaisies. Lui, dans la cinquantaine, en plein démon du midi, il revivait. Une impression seulement. Nancy avait des goûts dispendieux. Elle rêvait d'une maison moderne dans une banlieue huppée, de voyages exotiques et de conduire la dernière voiture sport de l'année. Et puis, il y avait maintenant cette histoire de bébé. À son âge, changer des couches! Papa Campbell!

Mercredi 28 juin

I

Petit matin d'Afrique. Un faisceau de lumière dans les yeux invite Caro à se lever. La journée s'annonce lourde. Les draps lui collent à la peau. Cette nuit, elle a rêvé au mort. Ça ne va pas vraiment mieux.

– On vous en prédit une pesante aujourd'hui! 30° C et avec le taux humidex, vous allez en suer un coup, clame le commentateur de CKOI dans les oreilles de Caro.

Elle s'adresse à son poisson rouge:

– Bon, faut que je me lève. Une journée de moins, bébé, avant la fin de semaine.

Une douche rapide pour se donner l'illusion de fraîcheur. Puis, elle se regarde dans la glace: cuissards noirs, chandail blanc cachant les tatouages qui décorent son cou alors qu'il fait si chaud; un bandeau au front pour retenir ses mèches rebelles. À la veille de ses règles, ces gobeuses d'énergie, elle s'avoue prête pour affronter la journée. Et toujours l'image de ce corps qui la hante.

Comme un rituel, elle place sa couette, et à la Michael Jordan, lance ses vêtements sales dans la poubelle d'aluminium. Elle descend au rez-de-chaussée. Pas de déjeuner, un jus d'orange suffit. Machinalement, elle arrose ses fougères et retrouve son vélo.

C'est son deuxième cette année. Même si elle accorde des soins délirants à ses bicyclettes, Caro les perd en cours de route. Les rigueurs de l'hiver les tuent. Depuis qu'elle course contre la montre, elle a bien monté une dizaine de vélos en cinq ans. Son dernier, d'un jaune soleil, lui a coûté la peau des fesses. Chaque semaine, les prélèvements sur son compte bancaire le lui rappellent.

– Le téléphone à cette heure!

– Allo, allo, dit-elle de sa voix matinale.

Une respiration haletante et des mots entrecoupés la sidèrent:

– J't'ai à l'œil... Ta peau vaut pas cher!

S'ensuit un clic lourd et sourd. Clouée sur place, Caro jette un regard affolé autour d'elle. Puis, machinalement, elle compose étoile 69.

– Assez intelligent! Impossible de retracer l'origine de l'appel, Christ!

Sa décision est prise: elle va en parler à Charlie. Sortie côté jardin, elle descend la rue Saint-Urbain. Elle longe la file des nombreux escaliers en colimaçon bordant la rue. La tête penchée, presque couchée sur son vélo, Caro pédale. Faire tourner les roues, avancer et ne plus penser, enfin presque plus. Elle respire la chaleur du pavé et les édifices n'ont qu'une apparence vaporeuse. Ses mollets arrondis la propulsent. Les klaxons aigus la secouent et la réveillent au centre-ville en face du complexe Desjardins. Encore quelques rues et elle est à son point de chute.

– Salut, Léo, ça va? As-tu des routes pas trop difficiles pour ce matin? Ça m'arrangerait.

– On va essayer. De toute façon t'es plus une *rookie*, maintenant. T'as fait tes preuves depuis longtemps, alors... t'en fais pas.

– T'es ben correct... T'as vu Charlie?

– Il ne rentre pas aujourd'hui.

Déçue, Caro s'efforce de travailler malgré tout. Avec ses bons de connaissement en main, elle enregistre ses distances et ses livraisons de la semaine. Elle s'assure ainsi de la correspondance entre ses revenus, les heures effectuées et les distances parcourues. À la vue du connaissement de la livraison au bureau d'avocats O'Neil & Morris, ses pommettes saillantes se contractent et elle fige. Et le mort qui revient.

– J'ai un *pick up and delivery* dans l'ouest. O.K.? questionne Léo.

Caro accepte et quitte la centrale aussitôt. Elle réussit à compléter ce voyage et deux autres avant le dîner.

Le fou l'a laissée pédaler tranquille.

II

Au bureau des substituts du procureur général au palais de justice de Montréal, on a décidé de se moderniser à rabais. Sans consulter, les avocats ont choisi individuellement les couleurs des murs de leur bureau. Un disciple de Thémis n'étant pas nécessairement designer, les procureurs se retrouvent dans un décor pour certains baroque, et pour d'autres carrément de mauvais goût. Les plus jeunes préfèrent les teintes d'atmosphère sur fond de lumière tamisée. Les avocates célibataires optent en fin d'après-midi pour négocier, dans leurs bureaux pourpres, leur dossier sur une musique d'ambiance genre Enya. Chez certaines, on ose le bâton d'encens.

Me Dunlay est de la vieille école. Il ne mêle pas le travail avec le plaisir. En fait, dans la vraie vie, il ne connaît que l'ennui. Les murs de son bureau arborent pour seul tableau un diplôme mal encadré de l'Université de Montréal. Le pupitre tapissé de décisions de savants juges témoigne du sérieux avec lequel il exerce sa profession. Son âge certain lui donne droit à une fenêtre avec vue sur l'édifice du prestigieux quotidien *La Presse*.

Après avoir laissé M. Boivin à la salle des témoins, John Campbell va rencontrer Me Dunlay pour assurer la détention de Blanchette. Me Dunlay s'avère l'avocat idéal pour ce genre de dossier. Allergique aux trafiquants de drogue, il refuse de négocier tout plaidoyer de culpabilité à la baisse. C'est de cela qu'avait besoin John Campbell pour se remonter le moral.

– Me Dunlay, puis-je vous voir quelques minutes?

John Campbell, dans le cadre de la porte, roule un élastique.

– Je suis attendu à la salle des enquêtes préliminaires mais je peux prendre quelques minutes, le juge Lapierre n'est jamais à l'heure.

– Blanchette sera arrêté cet après-midi pour un trafic de deux kilos de coke. Vous vous rappelez de lui, l'année dernière il nous avait filé entre les mains. Il nous faut un avocat d'expérience comme vous. Pas une ballerine. Pas de cautionnement et on évitera peut-être un procès.

John Campbell sait qu'en avançant ce genre d'argument, il touche une corde sensible. Fonctionnaire mal payé, Me Dunlay n'a pour seule fierté que son ancienneté gagnée à coups de causes souvent perdues mais toujours bien préparées.

– Je vais voir ce que je peux faire. Un trafic direct de cette quantité, ça va chercher du pénitencier, d'ajouter un Dunlay rendu presque heureux par ce malheur qui frappera bientôt son prochain.

John Campbell respire plus aisément. Les longues heures d'enquête et les nuits blanches vont enfin porter fruit. Racheter les erreurs du passé. Et dans 10 jours, le Costa Rica.

III

Au Pélican, Vanessa ne dort pas. Elle ne dort plus. Dans ce centre de désintoxication, les autres filles, comme elle, s'ennuient du même amant à des doses différentes. En manque. Pas de dope. Quelques-unes réussissent tout de même à s'en procurer mais il faut payer le prix. Vanessa est à sec, Philippe ne l'a pas encore visitée. Elle n'a plus un sou pour ses dépenses courantes.

Les cheveux lissés et retenus par plusieurs barrettes multicolores, Vanessa se traîne dans l'étroit corridor vers la réception. Parler à Philippe avant de craquer. À l'entrée du centre, dans une cage de verre, une grosse femme mange des croustilles en feuilletant le *7 jours*. Vanessa s'approche, se penche et tousse pour attirer l'attention. Concentrée, la surveillante admire des photographies de Céline Dion. Vanessa frappe doucement à la fenêtre. Des yeux impatients la fixent. Vanessa mime le téléphone et articule lentement:

– Juste un appel, faut que je parle à mon frère.

La surveillante réplique immédiatement:

– T'as fait ton téléphone hier.

– Oui, mais c'est important. J'ai pas mon chèque de bien-être social. Mon frère doit apporter de l'argent pour payer... ma place ici... Envoye!

La surveillante ferme sa revue et concède sur un ton sec:

– Seulement deux minutes, après je coupe...

Il fait terriblement froid dans la petite pièce. Maladroitement, Vanessa signale le numéro de Philippe. L'attente est longue. La surveillante espionne. Vanessa se roule une mèche de cheveux.

– Philo... Philo, viens me chercher. J'en peux plus. Je tofferai pas longtemps ici. Je te promets, je touche pus à rien...

Surpris, Philippe l'implore:

– Van... tu le sais... reste au moins jusqu'à ta prochaine date de cour. Tu pars... tu es dans le trouble et je suis dans le trouble.

– Comment ça? C'est pas toi qui est enfermé. J'chus pus capable!

– Je ne peux rien faire pour le moment. Van, fais pas la folle. Attends encore quelques jours... Je te rappelle, je te le jure.

Vanessa se cramponne au combiné. Reniflant, elle fouille dans sa poche. La bouche crispée, elle dévore la surveillante comme si elle était responsable de son malheur. Esquissant un faux remerciement, Vanessa quitte lentement le poste de garde. Elle doit partir d'ici. Vite un plan. Des filles s'évadent. Pourquoi pas elle ?

Dans une salle à l'autre bout du corridor, la thérapie de groupe réveille les blessures endormies. Les murs blancs accentuent la lumière crue des émotions. La grande horloge ronde aux chiffres romains indique 9 h 25. Toutes occupées sauf une, huit chaises sont disposées en cercle. Une jeune fille dans la vingtaine parle en se tordant sur sa chaise. Les autres prêtent l'oreille ou font semblant. Vanessa se glisse dans la salle en tentant de ne pas se faire remarquer. Pas de chance, la thérapeute lui lance sèchement en la regardant du coin de l'œil:

– C'est pas à 9 heures 30 la réunion, c'est à 9 heures!

Puis elle se retourne et sur un ton faussement chaleureux invite une autre fille à poursuivre.

«Quelle hypocrite! se dit Vanessa en s'assoyant en face de la thérapeute. Rien qu'une vieille freak réhabilitée qui fait semblant d'écouter. Au fond, elle s'en fout de toutes ces junkies avec leurs misères et leurs jérémiades.»

Une grande mince repliée comme une enfant malade se raconte. Elle cherche sa salive et sanglote.

– Depuis que mon chum m'a laissée, je n'arrête plus. Ma dope, c'est ma vie; sans elle, je capote. N'importe quoi, pour un *hit*.

Une pause dans son discours. Le temps passe lentement.

– Je l'aime, ma dope. C'est bien mieux qu'un homme. Toujours là quand tu en as besoin. Et puis, y a pas de tricherie…

Vanessa n'écoute pas. Son regard est absent. Elle tourne toujours nerveusement la même mèche de cheveux.

Elle se demande ce qu'elle fait à cet endroit. Cette thérapie stupide l'étouffe. Le timbre de voix complaisant de la thérapeute la ramène à la réalité.

– Tu n'es pas différente des autres. Tu es courageuse. Plusieurs d'entre nous se reconnaissent en toi. On n'est pas là pour te juger...

Puis, se tournant vers Vanessa, elle ajoute:

– Bon, c'est tout pour aujourd'hui, on reprend ça demain à 9 heures... avec toi, Vanessa. Compris?

Vanessa se mange les lèvres à se faire mal. Elle ne veut pas crier. Ça ne donnerait rien. Ce qu'elle déteste cette fausse apôtre! Elle se lève et quitte la pièce en vitesse. Les autres filles suivent.

Convaincue plus que jamais, Vanessa sait que son calvaire tire à sa fin.

IV

Dans la salle de conférence de O'Neil & Morris, je travaille avec Nicholas. Une tonne de documents couvrent la grande table: le rapport du coroner, l'agenda de mon père et le compte rendu de la scène du crime.

– Voici le café.

Pamela entre dans la pièce et regarde, étonnée, les objets épars. Même si je n'ai jamais eu d'atomes crochus avec cette femme, j'avoue que son dévouement pour le bureau m'impressionne.

– Cette enveloppe a été retrouvée sur le bureau de Me O'Neil. Elle n'a pas été décachetée. Pamela, vous étiez là lors de sa livraison? demande Nicholas affairé, sans lever les yeux vers Pamela.

En enquêteur chevronné, Nicholas examine méticuleusement chacune des pièces. Sa façon d'exercer son métier diffère de celle de ses confrères. Il ne tient rien pour acquis.

– Je peux m'asseoir?

Pamela scrute l'enveloppe. Elle se lève à moitié, prend une chocolatine et se rassoit. Il y a chez cette femme ce besoin de se sentir indispensable et là on lui en offre une occasion rêvée.

– Elle a été livrée après mon départ et celui de la réceptionniste puisqu'elle ne porte aucune initiale. Donc, après 18 heures.

J'ai déposé papa à la Place Ville-Marie un peu avant 19 heures. Ce soir-là, il m'a paru fatigué. Je le sentais fébrile. C'est peut-être pour cela que j'ai pris le temps de le regarder s'éloigner.

– Me O'Neil avait-il prévu un rendez-vous en soirée? s'enquiert Nicholas.

– Non! Rien à l'agenda…

– Peut-être que Viviane Veil peut vous renseigner mieux que moi. Elle est au courant des faits et gestes de Me O'Neil.

Et, mordant dans sa pâtisserie, elle ajoute, amère:

– Après tout, je n'étais que sa secrétaire.

Nicholas lui lance un regard désapprobateur. Pour ma part, je préfère me taire. Je me connais, lorsque j'ai les émotions à fleur de peau, je dis des choses blessantes que je regrette aussitôt. Pamela s'apprête à ouvrir l'enveloppe mais Nicholas lui fait signe de la lui remettre.

– M^e O'Neil avait un closing le lendemain avec de gros clients. Il s'agit peut-être de la copie de l'entente proposée, dit-elle en tendant à regret l'enveloppe.

– Elle porte l'estampe de la compagnie Express. Le connaissement y est encore broché, livreur 1329. Aucune indication de l'heure de réception.

Ayant remarqué une réclamation pour des médicaments prescrits à mon père quelques jours avant son départ pour New York, je demande à Pamela:

– Vous êtes au courant?

– Oui, votre père s'était fait prescrire des Ativan. Il avait de la difficulté à dormir ces derniers temps.

– Cela me surprend, papa n'était pas un homme à pilules, il devait être bien fatigué. C'est bien l'écriture de papa sur la note, Pamela?

– Vous savez, Tania, je connaissais très bien votre père. C'était un homme bon et loyal. Il a dû être très malheureux pour écrire ce mot. Dieu sait à qui il était adressé!

Essuyant un larme au coin de son œil droit, Pamela reprend:

– Je lui avais dit de se débarrasser de cette arme, aussi. Mais il était très têtu... Il la gardait depuis sa participation à la commission d'enquête.

– Bon, je vous remercie, Pamela, vous pouvez partir.

Pamela prend une dernière bouchée; en se levant, elle replace sa robe en la tirant vers le bas, puis enlève les miettes sur son ventre et quitte la pièce. Je lève les yeux vers le ciel en signe de délivrance! Décidément, cette femme me tape sur les nerfs!

Nicholas, plongé dans les rapports de police, poursuit:

– Au fait, l'experte en écriture ne peut tirer aucune conclusion de l'inscription «Adieu» sur la feuille. Le papier peut provenir de la tablette retrouvée sur le bureau, mais pas plus.

– Selon le comptable, Me Morris devrait des sommes d'argent importantes au compte en fidéicommis du bureau... S'il faut en plus répondre de son administration au Barreau! De plus, papa a fait un legs dans son testament à la Fondation des maladies mentales. Je ne lui connaissais pas cet intérêt... Ce serait si simple quelquefois si la vie se déroulait en noir et blanc. Sans nuance, tout est plus facile à comprendre.

– Bon, puisque madame philosophe, c'est qu'elle va mieux! Je pars avec l'enveloppe. Je veux parler au livreur.

Nicholas ferme sa valise en se levant avec effort. Décidément, il devrait perdre du poids! Je lui ai toujours trouvé une ressemblance avec Gérard Depardieu, mais là il fait Obélix un peu!

Je l'accompagne. En passant devant le bureau de papa, j'aperçois la photographie prise la journée de ma graduation. Papa me tient par le cou. Nous sommes tous les deux devant les portes principales du campus de l'université McGill sur la rue Sherbrooke. Tante Jacqueline prenait la photo. Ce soir-là, papa nous avait offert un souper gastronomique à son restaurant préféré, Le Latini.

«Nothing but the best.»

V

Au pied de la Place Ville-Marie, une Ford Taurus noire est stationnée non loin d'un rassemblement de courriers à vélo. Caro rejoint la gang. Ils sont entassés et accroupis sur les remparts de ciment, une dizaine toujours fidèles au poste. Caro sort un sous-marin de son sac à dos et s'installe parmi eux. Le plein soleil du midi procure un capiteux vertige. Les hauts édifices blancs et des murs de lumière miroitante encerclent les cyclistes au repos.

La première fois qu'elle s'est assise là, les gars la regardaient sans la voir. Elle se sentait venir de Vénus jusqu'à ce que Charlie, ce grand brun au collant noir troué et caché par un short gris, la présente à tout le monde. Il lui a montré les rudiments du métier et lui a refilé ses raccourcis. Quel être marrant et dingue!

– Pis, quoi de neuf? J't'ai vue l'autre soir au Métropolis, t'avais pas l'air dans ton assiette. Tu m'as même pas remarqué, bougonne Charlie, une pointe de pizza entre les dents.

– J'tais ben fatiguée pis j'avais pas le goût de parler à personne. Mais si ça te tente, viens chez nous ce soir, on pourra causer.

– O.K.

Les verres fumés relevés sur la tête, Caro les écoute distraitement raconter leurs aventures du matin. L'heure passe vite et Léo l'envoie récupérer un colis au Centre Molson puis après, il y a d'autres livraisons dans l'ouest.

– Ah, j'oubliais, y a quelqu'un qui insiste pour te parler, d'ajouter Léo.

Avant de répondre, Caro se ronge nerveusement l'ongle du majeur droit.

– Ben, y m'prendra quand je s'rai là.

– On fait un bout ensemble? Je dois aller sur Peel, lui dit Charlie.

– Ça serait cool!

Caro tire sur son chandail blanc, replace ses cuissards et ajoute en rêvant déjà:

– Tu t'imagines! Si on pouvait livrer comme ça à New York! J'aimerais ben ça y aller un jour. Pas toi?

– Ouais, mais en attendant, les beaux yeux bleus, on est à Montréal-les-bains, alors on se grouille.

– Maudit que t'as le tour de me ramener les semelles sur l'asphalte quand c'est pas le temps, lui crie Caro.

Ils font un bout de chemin ensemble puis leurs routes se séparent. Caro file à toute allure sur le boulevard René-Lévesque. Ses mèches blondes dansent au vent. Son walkie-talkie s'accroche à ses tatous.

La Ford Taurus suit. L'auto s'approche puis hésite. Caro pédale, tête penchée, et maintient le tempo. L'asphalte sue une chaleur presque insupportable. Caro s'essuie le front. La circulation est dense. Subitement, comme une voiture de police en poursuite, l'automobiliste accélère, dépasse le vélo jaune par la gauche et le coupe effronté-ment par la droite. Caro s'arrête brusquement. Elle regarde en direction de la voiture. Trop tard, trop vite. Apeurée, Caro s'assoit sur le trottoir et d'une voix trem-blotante, appelle son répartiteur:

– Léo, il y a une Taurus noire qui a manqué de me tuer. Elle se dirige vers le nord! Dis-le aux autres. Après le Centre Molson, je m'en vais chez moi!

VI

À cette période de l'année, les journées sont interminables. Blottis l'un contre l'autre sur un futon orangé, Caro et Charlie sont hypnotisés par les derniers rayons du soleil. Des nuages de marijuana voyagent à travers les grains de poussière en suspension dans la pièce.

Silencieuse, Caro savoure le son langoureux de la guitare de Johnny Lang. Quelques minutes auparavant, elle a déballé son sac et confié son secret à son compagnon. Un peu lasse, elle tente de s'abandonner aux doigts pressants de Charlie sur sa nuque. Elle renverse sa tête en arrière tout en rêvant au jour où son cauchemar prendra fin. Charlie l'observe en souriant puis l'embrasse tendrement sur le front, le nez, les lèvres. Son odeur douce la rassure.

Mais soudainement Caro ne peut rester en place. Sa colère contre cet homme qui la harcèle la provoque. Elle doit sentir qu'elle est bien vivante. Son corps engourdi se délie. Elle se lève, embrasse Charlie à l'oreille juste où la veine se dessine et elle pose ensuite ses lèvres sur son cou et sur sa bouche moqueuse. Puis, elle l'entraîne sur le tapis bleu à motifs. Charlie ne résiste aucunement. Il ne bouge pas. Caro se jette sur lui. Ses bras lourds entourent son torse et ses jambes endolories emprisonnent son bassin. Elle se serre violemment contre lui. Elle a chaud. Elle couvre son visage de baisers puis d'une main voleuse, elle enlève son chandail et descend la fermeture de son pantalon. Elle le lui retire ensuite avec une facilité déconcertante. Charlie n'a pas le temps de réagir que la voilà nue elle aussi. Leurs peaux se frottent, s'allument. Ne faire qu'un. Des cheveux aux orteils. Elle descend ensuite son short, elle prend son pénis et le fait glisser en elle. C'est tout ce qu'elle cherche. Le sentir en elle l'euphorise et la sécurise.

VII

La routine, les corvées. Vanessa en a marre de s'intégrer, de communiquer. En thérapie, ils appellent ça la prise de conscience. Parler de son vécu. Elle se sent en cage. Les sensations fortes manquent, à la maison d'hébergement. Tous ces faux soignants qui veulent se payer à même son chèque de bien-être social!

Recroquevillée sur son lit, en position fœtale, Vanessa inspecte ce lieu qui lui sert de chambre; une toile grise sur la fenêtre, un bureau de métal muni de trois tiroirs et un calendrier au mur. Le lit est couvert d'une douillette de ton pastel.

Des coups saccadés à la porte perturbent le silence.

– C'est Joey. Il faut que je te parle.

Mécaniquement, Vanessa répond:

– Tu sais que ce n'est pas verrouillé. C'est ça la *privacy* icitte.

Sur l'invitation arrogante de Vanessa, un grand six pieds aux cheveux gris sur front dégarni pénètre lentement dans la chambre. Ses semelles de caoutchouc sucent le plancher. Joey, ex-toxicomane, est abstinent depuis quelques mois. Il se cherche en cherchant à aider les autres. Il connaît le système. Pour payer sa consommation, il a trafiqué de la cocaïne. Joey avait accepté un poste dans une organisation criminelle. Il livrait des commandes de stupéfiants sur appel à domicile. Puis, il a été arrêté en vendant une dose à une agent double.

Pour éviter une peine d'emprisonnement, sur la recommandation de son avocat, Joey a suivi avec succès une thérapie. Le bonheur! Il allait bénéficier d'une sentence à purger dans la collectivité. Joey travaille depuis à la maison d'hébergement pour compléter ses travaux communautaires. Pour son «expérience de vie», il a été engagé à la sauvette comme les autres employés du centre. Des perles rares pour le gouvernement, ces maisons de thérapie improvisées qui poussent comme des champignons!

Pensif, Joey pose son regard sur les pieds menus de Vanessa, puis sur ses cuisses amaigries, son ventre plat, ses seins d'adolescente et accroche finalement ses yeux à sa chevelure sauvage. Vêtue de ses seuls sous-vêtements, Vanessa saisit le chandail laissé par terre à côté du lit et l'enfile.

– Tu le sais qu'il faut être à l'heure aux réunions... T'aimes ça, les punitions?

Sans attendre d'autres reproches, Vanessa lance un cri du cœur:

– J'veux partir.

– T'as accepté de venir ici, alors...

– Oui, mais là, je ferais n'importe quoi pour en sortir.

Joey la dévisage et hésite avant de poursuivre la conversation. Il est visiblement attiré par le corps frêle et la vulnérabilité de cette révoltée. C'est plus fort que lui. Elle est à peine plus grande qu'un enfant. Il se promène de long en large entre la porte et la minuscule fenêtre de la pièce. Il observe Vanessa et se place la moustache d'un geste compulsif.

Puis il ajoute de sa voix rauque:

– Je peux t'arranger cela si tu veux...

À mots voilés, Vanessa comprend. Ses yeux s'agrandissent et s'illuminent. Joey murmure à son oreille en lui touchant un sein. Vanessa baisse la tête en signe d'acquiescement et Joey quitte la chambre. Soulagée, Vanessa s'approche de la fenêtre et sourit au soleil couchant.

VIII

Vingt-trois heures trente. Il n'y a plus personne dans les couloirs vert pâle. L'odeur de *Pine Sol* monte au nez. La porte du poste de garde s'ouvre. Joey est dans l'embrasure. Il remonte la fermeture éclair de son jeans.

Il avance d'un pas dans le corridor, il regarde à droite et à gauche et fait un signe de la main. Vanessa, les cheveux défaits, un sac de plastique blanc au bout des bras, avance à pas feutrés. Elle marche vers la sortie. Joey prend le trousseau de clés et déverrouille la porte.

Fuir avec elle? Joey n'a plus l'énergie de recommencer à zéro. Sa probation se termine bientôt. De toute façon, il peut se geler la cervelle au centre. Mieux vaut se tenir tranquille pour l'instant. Après il pourra s'envoyer en l'air comme il lui plaira.

Vanessa ne le regarde pas. Une pipe, c'est rien. Une petite signature ridicule en contrepartie d'une liberté sans prix. Vanessa court, elle est en sécurité. C'est un soir de pleine lune comme elle les aime. Retrouver son livreur, c'est tout ce qui importe!

IX

– Bonsoir, monsieur Morris.

Régulièrement depuis deux ans, Harvey se rend aux tables de black-jack. Chaque fois c'est pour la dernière fois. Il a essayé tous les trucs pour éviter cet endroit. Il a même signé un contrat avec les autorités du casino. Une auto-exclusion, une entente écrite selon laquelle il ne jouerait plus. Mais il ne l'a pas respectée. Robert lui a conseillé les Joueurs anonymes. «Ils pourront sûrement te donner un coup de pouce. J'ai un client, un directeur de banque, qui en fait partie. Il ne joue plus. Tiens, prends le dépliant.»

Harvey n'a pas suivi le conseil. Il s'est illusionné, en pensant pouvoir s'en sortir seul. Mais ce soir, ce sera différent. C'est la dernière fois.

«Je gagne et c'est terminé.» Et voilà, il est d'attaque! La soirée est jeune. Il faut récupérer les pertes et faire balancer le compte en fidéicommis d'O'Neil & Morris.

Les cartes voltigent devant lui. Deux heures s'écoulent. Un rituel. Il commande les cartes une à la fois avec l'espoir que ce soit la bonne. Ce soir, il a pris la table d'assaut. Il occupe les cinq places de la table de black-jack.

– Une autre carte, monsieur Morris? lui demande le croupier.

Un geste discret du doigt. Un total de 25, encore trop. Le premier jeu est foutu. Harvey continue. Son index en demande une autre. Un quatre de pique pour un total de 16. Arrêter là. Il sait très bien que la maison va le battre.

Inlassablement, il répète. Un troisième jeu. Un as, ne rien montrer. Tripler la mise? Rembourser le compte, et pourquoi pas! Un plissement de lèvres de son vis-à-vis et c'est un succès. Ce qu'il aime ce jeu, seul en compagnie du croupier! Le silence. Cette tension enivrante du risque calculé. Un autre jeu, impossible de partir.

Harvey est connu dans la section VIP. On réserve des salons privés à cette clientèle avec un service haut de gamme. Bien différent des salles de machines à sous où la foule s'entasse au son des cloches des appareils et des gobelets remplis de jetons.

Excitant, ce jeu. Le croupier est toujours aussi patient. Une autre carte. Déjà la moitié du compte renfloué. Plus aucune explication à fournir à Tania. Et il pourra enfin affronter son regard. Robert, lui, comprenait ses problèmes. Tania le pourra-t-elle? Elle est jeune et sans expérience.

Harvey a commencé à piger dans les comptes du bureau dans l'espoir de se remettre à gagner. Juste avant le décès de Robert, il avait l'impression de mieux contrôler la situation mais il y a eu ces lettres de chantage. Elles ont chamboulé sa vie à nouveau. Harvey a toujours répondu aux demandes mais les dernières exigences l'ont fait crouler.

Ce soir, sa bonne étoile le sortira de ce pétrin.

Jeudi 29 juin

I

Vingt minutes de marche ou cinq minutes en voiture du poste pour se rendre au bar à sushi. Le ciel est londonien. John se sent paresseux et il n'a pas le goût de descendre la rue Amherst à pied. Il n'a surtout pas envie de se faire draguer par l'un des habitués du coin ou encore de se faire accoster par un sans-le-sou qui quémande pour des enfants qu'il n'a pas. John n'a pas le cœur sur la main.

Il doit rencontrer Nicholas, son ancien partenaire, en plein cœur du quartier gai, à son bar à sushi préféré. Ils ont découvert ce resto tranquille lors d'une patrouille de nuit. C'est bien pour faire plaisir à Nicholas qu'il a accepté de venir le trouver dans ce repaire d'homosexuels. Il faut dire que le service est rapide et que les belles Asiatiques sont attrayantes.

Fidèle à ses habitudes, John s'y pointe à l'heure précise. D'un pas assuré, il se dirige vers sa table. La serveuse aux cheveux de jais le salue. En attendant Nicholas, John feuillette le *Photo Police*, la bible des potins. «Les policiers s'en tirent, la cour annule les congédiements. On va encore se faire critiquer, Foglia nous manquera pas dans le journal », grommelle John en roulant machinalement un élastique.

La porte s'entrebâille et John reconnaît l'allure décontractée de Nicholas. Cigarette allumée, jeans, chemise bleu clair et bottes de cow-boy, mais pas de lunettes. «Tiens, c'est nouveau, ça!»

– Salut, Tu changes pas! lance John, quoique tu prennes un peu d'ampleur.

– Le bon vin, mon cher. Excuse mon retard! Mes verres de contact. Je ne m'habitue pas. Je les mets puis on dirait qu'ils s'envolent. Ce que l'on ne ferait pas pour paraître plus jeune! T'as pas ce problème-là, toi?

– J'ai pas ton âge, je ne sais pas comment tu fais pour te mettre ces coupoles dans les yeux.

John envie la maîtrise et le contrôle de Nicholas. Un sage. Si différent de lui! C'est pour cela qu'ils avaient formé une équipe du tonnerre pendant 10 ans. Nicholas le méticuleux et lui le dur à cuire! Aujourd'hui, il n'y a plus de policiers comme eux. Tous des peureux!

John attire l'attention de Nicholas qui observe la table voisine. Un couple se bécote. Leurs mains sont prisonnières. Elle, une fausse blonde à la poitrine généreuse, lui, petit, au regard troublé, sans envergure. Puis, John montre l'article de journal à Nicholas tout en commentant:

– T'as vu? Les gars ont été chanceux! Quatre-vingt-dix jours de prison et ils gardent leur job. C'est comme aux États-Unis. Tu peux tirer sur un gars armé d'un porte-feuille et c'est juste si tu ne seras pas décoré.

– Je ne suis pas certain qu'on se rende service. Les policiers l'ont pas manqué. Arrêt cardio-respiratoire, coma irréversible! Quatre pour maîtriser un gars nu dans une cellule! Tu trouves ça correct, toi? questionne Nicholas.

– Tu n'as pas changé! Philosophe à tes heures! Tu crois encore à la justice, toi? Avec un grand J!... On n'est plus protégé. J'comprends les gars... C'est la faute de la charte canadienne des droits et libertés, de dire John en examinant de la tête aux pieds la jeune fille qui apporte deux bols de soupe.

Un bref silence s'installe. Deux gars à la démarche efféminée prennent place à la table derrière eux. Une longue écharpe mauve sur un chandail moulant noir fait réagir John.

– Je m'habituerai jamais à ces grandes moumounes. J'ai le frisson chaque fois que j'en vois un.

Pour changer le sujet de la conversation, Nicholas explique sa nouvelle vie de retraité puis continue:

– T'es au courant, j'suppose, pour O'Neil?... Triste histoire. Sa fille m'a demandé de l'aider. Elle ne croit pas au suicide de son père. Nicholas allume une cigarette et poursuit:

– Connais-tu le coroner Lambert? A-t-il bonne réputation?

– Non, je ne le connais pas, mais je peux m'informer. Puis, montrant la cigarette de Nicholas: Toujours accroché?

Feignant de ne pas entendre, Nicholas lui demande aussi d'obtenir les caractéristiques de l'arme dont Robert O'Neil s'est servie. John répond par un signe affirmatif tout en jetant un regard à la table voisine.

– Tu sais pour Charlotte? Elle m'a laissé définitivement. Les procédures! Elle me réclame un gros montant. Je vis présentement avec une prof d'aérobie; elle veut des enfants. Me vois-tu en arrière d'une poussette? lance-t-il avec dérision.

Nicholas sourit. La jeune fille apporte du thé et en verse dans les petites tasses. John vide la sienne et s'en sert immédiatement une autre avant de se plaindre:

– La police, c'est pus comme avant. Ils ont coupé les ressources, le temps supplémentaire. Les enquêtes sont bâclées. Y a pus de beaux dossiers. On nage dans la violence conjugale pis dans les affaires de menaces. T'as bien fait de partir. J'pense que je vais t'imiter un de ces jours...

Un appel vibre sur le téléavertisseur de John et l'interrompt quelques secondes:

– Tu te souviens de Blanchette? On voulait le coincer. Puis il nous a échappé. Eh bien, cette fois-ci, il va payer, le salaud! Excuse-moi deux minutes...

Le ton amer et agressif de John étonne Nicholas.

– Je dois partir, Blanchette comparaît cet après-midi. Tu ne m'as même pas parlé de tes chevaux... Faut remettre ça... lance John en se levant, la note dans les mains.

– J'attends ton appel.

II

À la salle 307 du palais de justice de Montréal, on ne s'attendait pas à avoir autant de comparutions un jeudi du mois de juin. Peut-être la canicule ou la pleine lune en étaient-elles la cause. En attendant que l'on amène les détenus à la cour, les deux greffières parlent fort de leur fin de semaine de trois jours qu'elles passeront à la campagne dans leur bain tourbillon.

Elles répondent distraitement aux avocats de la défense. Ils ont droit à une copie de la dénonciation qui pèse contre leur client, mais ne sont-elles pas les petites reines de la cour?

Le procureur de la couronne, Me Juliette Allard, fait son entrée les bras chargés de dossiers. Les gardiens du palais la surnomment la fée Carabosse. Dans toutes ses années de pratique, on ne l'a jamais vue esquisser un sourire. Fin trentaine, les épaules voûtées, elle arbore une longue chevelure noire aux pointes fourchues.

On lui prête plusieurs aventures amoureuses avec ses collègues de la couronne. Ces derniers ont la réputation de limiter leurs escapades sexuelles entre les murs de leur bureau. Rien n'est alors plus facile que de prétendre attendre un verdict pour déjouer la naïveté d'une épouse fidèle.

– La cour, présidée par l'honorable Pierre Latendresse, est ouvert. Tout le monde debout.

Le huissier, un petit homme, se retire. Le juge Latendresse est aimé de tous. Ses airs de grand-père et sa vivacité d'esprit séduisent les avocats les plus récalcitrants. Malgré son sourire affable, il peut être intransigeant devant la bêtise humaine. Reconnu pour prononcer des sentences sévères lorsque l'intégrité de la personne est menacée, on lui prête beaucoup de compassion pour les victimes.

La fée Carabosse, noyée dans sa montagne de dossiers, sourcille à peine. Du côté de la défense, on peut compter une quinzaine d'avocats. Un jeune stagiaire représente le bureau de l'aide juridique. La pratique du droit ne connaît pas ses meilleurs jours. Comme des vautours, les avocats se volent les clients. Proies faciles surtout le jour de leur comparution, les avocats les plus scélérats leur promettent une remise en liberté alors que leur sort est souvent décidé par la poursuite avant l'audition.

– Faites entrer les détenus.

Les petites reines sont prêtes, on peut commencer. Un bruit de portes d'enfer, des noms prononcés sans âme.

– Bertrand, Blanchette, Bridges, Lafontaine.

Au box des accusés, ils sont amenés quatre par quatre. Bertrand, vêtu d'un t-shirt autrefois blanc, se lève avec difficulté. Il a un œil enflé. On aperçoit une coupure d'un brun rougeâtre à l'arcade droite.

– Monsieur Bertrand, avez-vous un avocat? demande le juge.

– C'est moi, votre Seigneurie, Louis Johnson, stagiaire. Mon client connaît la nature des accusations, renonce à la lecture et plaide non coupable.

Sans daigner lever les yeux de son dossier, Me Allard suggère des conditions pour la remise en liberté de l'accusé.

– Vous comprenez ces conditions? questionne le juge. Vous devez les respecter et revenir à la cour, en salle 407, le 10 août à 9 heures.

– Yvon Blanchette, hurle la plus grassette des petites reines. Blanchette se lève après avoir regardé au fond de la salle. Souriant et confiant, il écoute son avocat.

– Je représente M. Blanchette.

Me Juliani est le seul criminaliste dont la clientèle a doublé pendant les dernières années. Flegmatique, il donne l'heure juste à ses clients. Il ne promet rien et ainsi il ne se trompe jamais.

– Il y a une objection à la remise en liberté de l'accusé? s'enquiert le juge.

– Non, malgré ses antécédents judiciaires, l'accusé reprendra sa liberté s'il dépose un cautionnement de 10 000 $ et s'engage à ne pas quitter le district de Montréal pendant la durée des procédures, de répondre Me Allard.

Assis à l'arrière de la salle, John Campbell fulmine.

Et Me Allard ajoute:

– Votre dossier est reporté en chambre de pratique le 15 juillet pour règlement possible. C'est un dossier de Me Dunlay.

Me Juliani fait signe à son client de ne rien dire. Il négociera une courte peine d'emprisonnement et peut-être même une sentence à purger dans la communauté.

John Campbell quitte précipitamment la salle de cour. Dunlay ne l'emportera pas en paradis. Mais où est-il? Une race de paresseux, ces fonctionnaires.

III

Miles Davis dans *Ascenseur pour l'échafaud* m'accompagne. Ma porte de bureau est fermée, j'entends des pas dans les corridors jaunes, et les rires fusent du bureau voisin. La coutume veut que les avocats de la section criminelle se réunissent à la fin de l'après-midi et échangent sur les dossiers de la journée. Les derniers potins deviennent vite le premier sujet de discussion. Ces rencontres informelles sont plus instructives que nos journées au palais. Habituellement, j'assiste à ces réunions mais aujourd'hui je n'ai pas le goût d'y être ni de répondre aux questions. Ma tête est dans le passé.

J'ai fait mon stage comme avocate de la défense à la section criminelle de l'aide juridique et j'y travaille depuis trois ans. Les cas lourds, les clients démunis et les moyens réduits sont chose courante. Pourtant, les remarques négatives sur la compétence des avocats et les exigences des clients pèsent de plus en plus lourd, et ce, malgré la gratuité des services. Le téléphone me sort abruptement de ma rêverie.

– M^e O'Neil, c'est John Carter. Il a téléphoné deux fois aujourd'hui. Comme il est détenu, j'ai pris la liberté de lui dire que vous lui parleriez, mais je peux dire que vous êtes absente.

– Merci, Louis, vous avez bien fait, passez-le-moi.

– J'ai placé le dossier sur le coin droit de votre bureau.

J'aime faire équipe avec Louis. Les autres secrétaires du bureau ont bien critiqué ma décision de l'engager. Les remarques sexistes n'ont pas manqué: « Un gars, secrétaire! Il vole la place d'une fille! Y doit être efféminé...» Elles se sont par ailleurs vite rétractées devant la compétence de leur nouveau collègue.

Je réponds à John Carter. Je n'ai pas le temps de lui adresser un premier mot qu'il me coupe:

– Je veux vous voir. Il faut préparer mon dossier. Je suis innocent, maître. C'est un coup monté. On veut ma peau à cause de mon allégeance à Greenpeace, me dit-il sur un ton plus que convaincant.

– Mais vos empreintes se sont retrouvées sur la note du détournement de l'avion!

– J'ai dû toucher à ce bout de papier en me rendant aux toilettes... Je n'ai rien à faire avec le piratage d'avion!

Vous avez une bonne réputation, M^e O'Neil, vous allez me sortir de là?

– Je veux bien, mais... vous avez essayé de vous enfuir. Ça ne vous aide pas. Il faudra aussi expliquer la présence de vos empreintes. Lorsque j'aurai tous les documents, surtout la position des empreintes et le rapport d'expertise, j'irai vous voir. Nous en discuterons.

John Carter semble satisfait. Je raccroche. Tout un phénomène, ce Carter. Arrêté pour sa participation à une manifestation en faveur de Greenpeace, il a été expulsé des États-Unis. Au cours du vol New York-Montréal, alors que Carter est escorté par deux agents de la CIA, une note écrite exigeant le détournement de l'avion vers Cuba est trouvée dans l'avion. Malgré la menace de faire sauter l'avion, le pilote a décidé d'atterrir quand même à Montréal. L'alerte générale a été lancée. Tout l'arsenal policier a été mis en place: Gendarmerie royale, Sûreté du Québec et police municipale. Une piste d'atterrissage écarlate, des sirènes stridentes, des caméras, des passagers apeurés et un détenu qui tente de s'enfuir en essayant de dérober le 357 d'un policier. Une mise en scène parfaite pour un film de Spielberg!

Carter veut un procès devant jury. C'est bien le seul forum où il peut être acquitté. Avec ses antécédents judiciaires de fraude, aucun juge ne le croira! Enfin, je verrai.

– M^e O'Neil, un appel personnel sur la deuxième ligne.

Un répit! Je prends une grande respiration et je me relaxe au ton feutré de la voix de Simon.

– Tu as terminé?

– J'ai encore quelques dossiers à réviser.

– J'ai un travail à faire ce soir. Un contrat important...
Des photos pour un magazine. Tu m'accompagnes?

– Je n'ai vraiment pas la tête aux excentricités. Une
autre fois. J'irai me reposer à la maison, plutôt.

– Porte-toi bien, je t'embrasse, me dit-il chaleureuse-
ment en terminant.

Ça fait déjà une semaine que papa est mort. Je ne sais
toujours rien. Une petite soirée tranquille avec un bon
verre de rouge et un peu de fromage me permettra de
récupérer. L'instinct de survie!

IV

Exténuée, bien assise devant sa télé, les fesses dans
l'eau glacée, Caro gèle sa souffrance. Elle a vraiment
roulé sa bosse aujourd'hui. En se massant les épaules,
Caro réfléchit: «Les livraisons n'ont pas manqué. Ça fait
mentir Léo qui se plaint de la diminution des affaires
depuis l'arrivée d'Internet. Je n'ai vraiment pas chômé et
je paie le prix ce soir.» Ses fesses sont endolories et son
entrejambe est très irrité.

Elle a placé le téléphone à côté d'elle et elle compose
à répétition le numéro de cet enquêteur puis elle raccroche aussitôt. Elle n'a rien à dire aux flics. Elle hésite.

Caro a d'abord été surprise qu'on remonte jusqu'à elle.
Puis, à bien y penser, elle anticipait cet appel. Son
numéro d'identité est noté sur le connaissement. «Il eût
été utopique de penser qu'on m'oublierait», se dit-elle.
Elle n'a pas le choix de l'appeler. Il a aussi laissé deux
messages sur sa boîte vocale.

– Nicholas Hall? Caroline Perreault à l'appareil. Vous vouliez me parler?

La voix grave au bout du fil et les questions pointues la saisissent. Elle perçoit que son appel est vivement attendu. Caro lève les yeux au ciel, soupire profondément et poursuit:

– Pourquoi répondre à vos questions? Je ne vous connais pas. De toute façon, je n'ai rien à dire.

– Mais vous avez livré une enveloppe au bureau O'Neil & Morris. Me Robert O'Neil a été retrouvé mort vendredi matin. Toujours rien à dire, Mademoiselle Perreault? ajoute Nicholas sur un ton sarcastique.

Caro mâche rageusement sa gomme.

– J'chus pas obligée de vous dire quoi que ce soit, répond-elle sèchement.

– C'est vrai, mais vous êtes bien mieux de me parler. Comme ça vous vous éviterez des ennuis.

Afin de la convaincre, Nicholas renchérit:

– Le coroner a établi la mort de M^e O'Neil après 19 heures. La femme de ménage était déjà passée et il était vivant. Vous avez livré le courrier autour de 20 heures, selon votre répartiteur.

– Ça veut rien dire… faut pas se fier aux apparences.

Du même souffle, elle s'arrache une peau de l'index et ajoute sans réfléchir:

– J'ai rien avoir là-dedans. Quand je l'ai vu, y était déjà mort.

«Oui, j'ai bien déposé cette fichue enveloppe brune au bureau de Me Robert O'Neil. Et après? pense-t-elle. Si je parle du mort, il faudra que je parle aussi de l'autre. De son visage. Charlie croit que je devrais en parler. De la Taurus noire aussi.» Caro hésite.

– Je vous crois, Mademoiselle Perreault, mais je voudrais vous rencontrer.

Pendant que Dee Dee Bridgewater s'époumone à la télé, Caro garde le silence. Elle regarde partout dans son appartement. Les hibiscus sont en fleurs. «D'accord, je vous verrai demain en fin d'après-midi.» Elle dépose le combiné et reprend son souffle. L'eau est tiède. Caro examine la cicatrice profonde sur sa cuisse droite. Elle a mal aux jambes.

En se levant de la cuvette, Caro se réchauffe dans une grande serviette blanche. Elle espère que ses aveux à cet enquêteur l'aideront à se débarrasser de ses peurs. Même ses nuits au Métropolis n'ont pas réussi à effacer ce mauvais rêve.

«Après tout, peut-être que lui en parler me fera du bien», se dit-elle.

V

Il pleut à torrents. Sur le toit du Palace, Félix, canette en main, tente de terminer son *piece*. Philippe appuie l'échelle sur le côté de l'édifice. Il s'essuie le visage et dépose son sac à dos contenant ses couleurs.

– Salut man, les flics voulaient te parler, hier soir. Ils prétendaient chercher Éric Gariépy.

Félix lève le capuchon de son ciré noir pour couvrir la cigarette qu'il allume péniblement.

– Je le vois plus. Je veux plus qu'il vienne à la maison, y a toujours les poches pleines de coke. C'est trop tentant pour Vanessa... Elle est encore en thérapie.

D'un jet, Philippe dessine le contour d'un «X» qui se perd dans un soleil vermeil. Au fond du ciel se profile une inscription: «Le rêve est un radeau, père Pops». Philippe prend alors la cigarette de Félix pour allumer la sienne. Il détourne les yeux.

– Tu restes en ville cet été? lui demande-t-il pour changer le cours de la conversation.

– Mes parents voudraient me traîner en Europe... Tu sais, c'est peut-être pour les graffs du métro Peel que les policiers sont venus. Rien à voir avec Éric?

Par les graffitis du métro Peel, ils s'étaient cachés dans les bouches d'aération avant la fermeture des portes. En bleu, en vert et en jaune, ils avaient inscrit leur tag. Le défi, le plaisir de frôler l'illégalité. De l'adrénaline pure pour Félix qui défie ses parents avocats.

– Non, non, je te niaise. Il parlait de vol de chars. Pas de graffiti. J'ai pas bronché.

Félix s'essuie le front et rit un peu en voyant l'air sérieux de Philippe.

– Y mouille pas à peu près! La peinture coule pis les cigarettes restent pas allumées! Je passerai pas la nuit ici! d'ajouter Félix.

Philippe ne l'écoute déjà plus. Il n'a qu'une idée en tête, parler à cette personne qui ne tient pas parole. Éric ne devait pas être arrêté. «Une toute petite information» avait-il dit.

Après être descendu du toit, Philippe trouve un téléphone dans l'entrée du cinéma. Il sort une carte blanche de son portefeuille et compose un numéro. Une voix masculine familière le fait réagir.

– Ouais, c'est Philippe Lamarche, le frère de Vanessa. C'est au sujet de la voiture volée. Y me semble que tu m'avais dit que le gars y aurait pas de trouble!

Le silence de son interlocuteur suscite un hochement de la tête de droite à gauche. Sur son erre d'aller, Philippe maintient le tempo et monte le ton.

– C'était pas ça le deal. J'vais avoir des problèmes. C'était pas nécessaire. T'as pas de parole. Qu'est-ce que je vais dire au gars, hein?

Philippe tambourine sur le côté du téléphone.

– Je t'ai fait confiance. Avoir su! J'aurais dû suivre mon intuition. Vous êtes tous pareils! Une gang de menteurs.

Exaspéré, Philippe raccroche. Une seule préoccupation: avertir Éric au plus vite qu'il est recherché.

VI

Philippe n'a pas eu de difficulté à retracer Éric. Il se vante trop de ses coups. Il a suffi de faire la tournée des bars et des salles de billard de la rue Mont-Royal.

Éric Gariépy, le *bum* de l'école, est passé rapidement du petit larcin au vol d'auto. Il a commencé sa carrière en bossant pour les autres, pour des plus gros, en échange d'un joint puis plus tard pour de la coke. Parfait manipulateur, il a toujours préféré vendre son âme, pas son corps, jusqu'à l'année dernière. «Séropositif, il n'a plus

rien à perdre et tout à donner», se plaît-il à dire maintenant en riant. Les cheveux rasés, boucle d'oreille au nez
comme un accroche-cœur, Éric habite le corps d'un adolescent mal nourri.

Éric bosse de temps à autre. Il lui arrive encore de se
rendre dans un de ces ateliers de fond de cour dans le
nord de la ville. Un *chop chop* pour les initiés, il y met en
pièces des autos volées. Philippe stationne son taxi à l'entrée de l'entrepôt. Il se dirige à l'arrière de la bâtisse. Tout
est gris. Au fond on aperçoit une sorte de garage.

– Eh, man! As-tu besoin d'une pièce pour ton taxi?
demande Éric en lui ouvrant la porte de côté de la
construction en tôle.

– Toujours expert en carrosserie, de lui répondre
Philippe en souriant.

Éric sait tout des modèles d'autos. Par les couleurs
d'origine, il peut même dire l'année du véhicule. Il se
trompe rarement.

– Je travaille pour une gang. Y a moins de danger de
se faire pogner et ça paye en crisse. Le stock qu'on vole
est écoulé rapidement. Les plus beaux modèles sont
cachés dans des conteneurs.

Au cours de la dernière année, Éric a bien vécu. Six ou
sept vols lui rapportent près de 1 000 $ par semaine. Mais
il n'a jamais un sou dans ses poches. Il vit constamment
sur «l'party». Sans famille, sauf celle des bars, Éric
s'étourdit. Seule Vanessa le touche encore. Et pour la garder près de lui, il lui fournit sa drogue. Dans les meilleurs
jours, Vanessa semble se contenter d'un peu de haschich
ou de coke. Éric refuse de lui négocier son sucre brun.
«L'héroïne, je touche pas à ça.»

– Et ta sœur, la Sainte Vierge, c'est pour quand le procès?

– Pour la fin août. Écoute, y a des flics qui te cherchent.
Sois prudent.

Philippe parle tout bas, pour ne pas se trahir davantage.
Toujours dans l'entrée, il observe deux gars scier une
porte de voiture.

– Faut que j'y aille. J'ai une job à faire. Tu salueras ta
sœur pour moi.

Éric songe à Vanessa en regardant Philippe s'éloigner.
Il ne va pas lui dire que sa sœur est en cavale. Elle est
venue le retrouver pour avoir de la poudre. Il ne peut la
trahir. Son amour pour elle date de la petite école. Le
midi, il échangeait son sandwich contre un rien. Vanessa
avec ses longs cheveux rarement coiffés et ses yeux
comme une prière n'avait jamais rien à manger. Puis, des
années plus tard, il l'avait reconnue près des quartiers du
poste de télévision MusiquePlus. Bien gelée. L'âme en
enfer, elle n'avait pas bronché lorsqu'il l'avait interpellée.
Vanessa, belle comme la vie, en plein cœur des ténèbres.

Mais un jour, quand le party sera fini, il l'emmènera avec
lui. «C'est promis!», se répète Éric en retournant à sa ferraille.

VII

Christiane n'a pas obtenu de subvention pour installer
l'air conditionné; il fait chaud, trop chaud dans le petit
local de Cactus au centre-ville, pour retenir les jeunes qui
passent changer leur seringue. Pourtant, la pièce est
accueillante, des vieux divans de velours rouge et des
chaises de bois peintes de couleurs vives proposent un
arrêt. Au mur, des affiches vantent les mérites du
condom, d'autres suggèrent de parler avant de sombrer
dans la dépression. Il y a toujours dans l'air une odeur de
café frais.

Au fond de la pièce, le «bureau de Madame Christiane», comme l'appellent les usagers. Un petit drap de coton indien à motifs d'éléphants recouvre la table ceinturée de trois chaises. C'est là que reposent les grandes cartes de tarot, son «jeu de l'espoir» comme le surnomme Christiane.

Vanessa pénètre dans le local. Vingt-trois heures, première soirée du Festival de jazz, le fond de l'air est au blues. De Cactus, on entend au loin une rumeur de saxophone. Christiane a chaud. Elle transpire. Sa poitrine est moite et elle s'essuie le front. Assise à sa table, elle ne bronche pas à la vue de Vanessa. Ses cartes parlent à une toute jeune fille anorexique en face d'elle.

– Ma petite Marie, lui on le nomme le Pape. Il apporte la paix, un peu de repos... On sera généreux à ton égard. Une rencontre. Tu attends quelqu'un?

– T'es-tu folle, toé, tu sais ben que j'attends pus rien! Mais je cherche encore mon cousin. Yé descendu de l'Abitibi avec son chien. Y en a qui l'ont vu.

– Bon, la deuxième carte, la Roue de fortune. La chance! Tu vas le trouver! Il faut que tu viennes me le dire quand ça arrivera!

Marie s'est levée, son espoir dans une main et un paquet de nouvelles seringues dans l'autre. Elle ne regarde pas Vanessa, figée, le dos appuyé au mur à côté de l'entrée. À l'extérieur, sous le porche, Christiane reconnaît la silhouette d'Éric. Ça fait des mois qu'il traîne dans le coin. Il fournit le stock aux prostituées du quartier. Christiane essaie de l'amadouer depuis des lunes.

Christiane s'approche de Vanessa. Elle porte des souliers à talons hauts compensés et un chandail moulant rouge qui lui sert aussi de robe. Vanessa est blême, pâle comme la pupille dilatée de ses grands yeux gris. Sa maigreur est frappante. Il faudrait la faire examiner par le médecin. Avec les compressions budgétaires, il ne vient plus qu'une demi-journée par semaine. «Un système de santé accessible pour tous», de vanter les politiciens.

D'un sac de cuirette rouge, Vanessa sort ses aiguilles mal emballées.

– Tu peux me les changer? arrive-t-elle difficilement à articuler. Son bras pèse une tonne.

Christiane ne parle pas. Elle sait qu'elle en dit plus en se taisant. Il faut éviter le naufrage. Elle se dirige vers son armoire à côté de sa table de bonne aventure. Sur la première tablette, elle prend une dizaine de seringues qu'elle glisse dans un petit sac et y joint un paquet de condoms.

– Je repasserai pour mon avenir, balbutie Vanessa en serrant ses nouvelles aiguilles de rêves.

Pour se réconforter à sa table de tarot, Christiane tourne la première carte du jeu. Le Magicien, sa carte préférée, celle de l'imagination.

VIII

Malgré les lettres de chantage, Harvey hésite, mais son désir de vivre une nuit chaude et magique le transporte. Il paiera encore. Un grand party rave à sa boîte de nuit clandestine favorite. Du crayon épais sur les sourcils lui donne un regard dévastateur. Le noir l'habille ce soir. Harvey aurait préféré être plus grand mais en se regardant dans la glace, son image lui plaît. En mal d'Alfredo, il se meurt d'envie de le rencontrer. Et puis ça le détournera du casino pour ce soir.

D'habitude, Harvey fréquente le club le Liquid; la D.J., Mistress Barbara, y est excellente. Ce soir c'est différent; plusieurs D.J. enfileront leurs vinyles avec elle. Un rave fiévreux en peau et strident de musique. Il quitte son condominium et s'engouffre dans sa voiture. Il stationne à quelques rues du hangar dans le Vieux-Port. C'est grisant de savourer trois vies à la fois.

À son arrivée, il cherche Alfredo du regard. Il s'attend à le voir. Des centaines de têtes aux couleurs flamboyantes et des torses nus envahissent la piste. Les lasers verts rasent les corps. C'est la frénésie. Les ravers se frôlent, s'enlacent et communient avec les grondements des basses. En retrait, Harvey observe. La D.J. Barbara bat le temps comme une aveugle. Lunettes fumées et longs cheveux noirs, elle repasse le disque et remet l'aiguille dans le sillon du vinyle. Des ravers se calment avec des sucettes pendant que leurs jeans à pattes d'éléphants marquent les rythmes excessifs. Les doigts effilés d'un jeune homme caressent le dos costaud de son compagnon. Le couple se cherche un abri. Harvey le sait; les toilettes sont un lieu privilégié pour des échanges sexuels. D'autres, plus audacieux, des supermen noctambules, choisissent le ciel ouvert pour s'embrasser et se toucher sans pudeur.

Harvey ne voit pas Alfredo. Malgré sa passion pour les raves, Alfredo n'est pas au rendez-vous. Harvey aurait aimé le rencontrer et danser avec lui. Déçu, il rationalise: «C'est peut-être mieux comme cela.»

Funk Tap, Endless Passion, Africa Shox se succèdent à un rythme effréné. Harvey ne résiste plus à la musique, soudain il se déhanche et tape des pieds. Il se sent déplacé par la vague. Il n'a plus d'âge. Les épaules nues, la sueur en gouttelettes sur chaque particule de sa peau, il exécute toutes les danses. Le plaisir d'être incognito!

Des corps à l'allure pubère et des hanches d'androgyne se mêlent au son d'un rythme métallique. La clameur de la foule fait trembler la boîte et les tubes aux lumières incandescentes bleues et vertes tourbillonnent au-dessus des danseurs.

Même s'il n'a pas rencontré son amour, Harvey se complaît à s'étourdir sur la cadence électronique. Cette nuit, la solitude ne le tracasse pas et la musique le comble. Il est frénétique. Hors du temps, du monde et du quotidien, Harvey apprécie ces extravagances et il compte bien en profiter. «C'est contagieux! Le rave électrise. J'ai l'impression d'être cent et d'être unique!», se dit-il au moment où la foule scande « Rewind».

Vendredi 30 juin

I

Le lendemain de veille: complet impeccable, cravate de soie, seuls ses yeux cernés trahissent sa nuit blanche. ~~Pour se donner du courage, Harvey se sert un martini. Sa~~ nuit n'a pas effacé la réalité d'aujourd'hui. De sa fenêtre de bureau, il regarde le campus McGill. Cette vue imprenable sur son *alma mater* lui fait oublier son mal de dos. Il en a fait du chemin depuis.

Son père, journalier dans une manufacture, sa mère, femme de ménage, ont trimé dur pour l'envoyer dans cette maison anglaise du savoir. Harvey se considère privilégié mais il a travaillé fort pour gravir la montagne. Relieur dans une imprimerie l'été et commis dans un dépanneur les fins de semaine, il ne regrette rien. Son association avec Robert fut fructueuse.

Robert, lui, avait eu la vie facile. Jeune, il a passé ses étés au chalet familial au lac Memphrémagog dans les Cantons de l'Est. Puis son bureau d'avocats, son milieu opulent lui a ouvert des portes. Robert, doué pour les relations publiques, amena une clientèle variée. Harvey a toujours préféré le travail en retrait. En négociation, il est un adversaire redoutable. Robert et lui formaient un duo exceptionnel envié de tous.

Nostalgique, Harvey s'interroge sur son avenir. Deux cachets de Robaxacet pour diminuer cette douleur aiguë à la colonne vertébrale. Et il récupère une enveloppe au fond de son tiroir avant de faire une dernier appel... à Alfredo.

– Je ne t'ai pas vu au rave. Tu m'as manqué. Je vais au rendez-vous. On m'a encore téléphoné au bureau. Cette fois, c'est la dernière. Je ne paie plus. Ils feront ce qu'ils ont à faire.

Soupirant profondément, Harvey raccroche. Son enveloppe au fond de sa poche de pantalon, il quitte le bureau. La ville frétille. Les trottoirs sont bondés. Face à MusiquePlus, une foule de jeunes ont le nez collé à la vitrine. «You give me nothing but the blues», chante Marjo. Les corps vêtus légèrement bougent au son de la voix rauque de la rockeuse.

Au coin Jeanne-Mance et Sainte-Catherine, des estrades sont montées pour accueillir les jazzophiles aux concerts des 10 prochains jours. «Livrer de l'argent dans une boîte téléphonique juste à côté d'une scène, en plein festival de jazz, débile!» se dit Harvey. Sa chemise est mouillée et des sueurs perlent son front.

– Un peu de monnaie s'il vous plaît, demande un itinérant les yeux grisés par l'alcool.

Attendri par cet homme dans la trentaine, Harvey sort de sa poche quelques dollars qu'il dépose dans la casquette de l'homme. Ce dernier esquisse un sourire. Harvey suspecte tous les individus qui s'approchent de lui. Il est temps que cesse ce cauchemar. Il ouvre la portière battante et glisse l'enveloppe entre les feuilles oignon du livre de téléphone jaune. Harvey s'esquive; il traverse la rue et se retourne. Un jeune homme aux épaules nues à l'allure Twiggy entre dans la boîte vitrée et en ressort aussitôt. Il accélère le pas. Harvey court aussi vite que son dos le lui permet. Il veut voir son visage. Les têtes se multiplient et la musique s'amplifie. Harvey est étourdi. Peine perdue. L'oiseau s'est envolé. Et ça lui servirait à quoi de le rejoindre maintenant qu'il a livré la marchandise?

Harvey déambule sans but. Des gens sont assis dans les gradins de la Place des Arts. La magie de la musique. Sur scène, la contrebasse de Donato enrobe la voix de Karen Young. Harvey se sent libéré et l'après-midi sera plus facile au bureau.

II

Coin Sherbrooke et Crescent, 16 h 30, Caro sort du Musée des beaux-arts.

«Une dernière livraison et ma journée sera terminée», se dit-elle.

Casque en main et sac au dos, elle enfile sa bicyclette et se dirige vers l'est. Elle roule si vite qu'elle se sent lancée comme une fusée. C'est l'heure de pointe et tout le monde est pressé de rentrer chez soi. Caro aussi. Charlie l'attend avec deux billets pour le show de Chick Corea. Se réjouissant à la pensée de cette soirée, Caro pédale. Une Taurus noire la suit. Elle lève son bras gauche et indique qu'elle s'engage sur Saint-Laurent.

«Ce qu'ils sont fous, ces automobilistes. Ils se croient tout permis.»

Ses yeux s'attardent sur la voiture noire qui se range rapidement derrière elle. Caro tourne la tête, s'agrippe à ses guidons et modifie son trajet.

«Tiens, encore la folie au volant!»

Elle poursuit tout droit sur Sherbrooke. Même si les roues de sa bicyclette roulent sans cesse, la Taurus gagne du terrain. Caro accélère mais elle sent de plus en plus le grondement du moteur. Exaspérée, elle se retourne pour invectiver la personne qui la harcèle.

«C'est lui! Le gars du bureau... il transpire à grosses gouttes!»

Caro lui fait un doigt d'honneur, bifurque comme l'éclair tout en marmonnant:

– Non, mais... T'auras pas ma peau, espèce de con!

Son cœur bat à tout rompre.

«Rester concentrée, encore quelques rues...» pense-t-elle.

La circulation est dense. Caro ne le voit plus. Soulagée de l'avoir semé, elle ralentit la cadence mais son répit est de courte durée. L'Américaine est de retour. Caro se sent talonnée comme par une sangsue. Cette confrontation ne l'excite pas. Elle l'effraie. Presque coincée entre deux voitures, elle freine pour éviter l'impact. Pour fuir, elle s'engage sur Saint-Denis à la lumière clignotante. Paniquée, elle avance plus vite. Ses mollets gonflés lui font mal. Le crissement des pneus de la voiture et un klaxon strident la font réagir. Malgré sa vitesse, le vélo de Caro est frôlé par la Taurus noire. Caro fige. Les mêmes yeux troubles la persécutent. Elle n'a pas oublié: le même regard qu'à sa sortie du bureau à la Place Ville-Marie! Il la hante. Sans issue, Caro s'aventure sur avenue des Pins. Elle ne sent plus ses jambes. Exténuée et rouge de chaleur, elle baisse la tête et s'essuie le front. Trop tard, un gros autobus en sens inverse. Le mastodonte passe vite et freine brusquement. Une pirouette dans les airs et Caro se retrouve inerte sur le pavé sec.

– 1329, ici Léo. J'ai une dernière livraison pour toi. C'est tout près. L'Hôtel-Dieu! Allez, Caroline, j'ai besoin de toi.

Caro ne répond plus. Son corps gît sur la chaussée, immobile. Le vélo jaune est écrabouillé. La voiture noire poursuit sa route sans aucune égratignure. Des curieux s'approchent et regardent. Au loin, on entend l'ambulance.

III

Entre deux cours d'aérobie au club Les Boisés et transpirant sous son maillot noir, Nancy longe au pas de course l'étroit corridor bordant les courts de tennis. Bien que les mollets séduisants d'un joueur lui fassent ralentir le pas, son service mollasse lui fait reprendre vite la cadence. Nancy grimpe les escaliers et se précipite au bureau de la réceptionniste. Elle signale le numéro du téléavertisseur de John, inscrit le numéro du club et raccroche aussitôt. C'est l'heure de pointe; les fins d'après-midi sont toutes semblables dans les clubs sportifs. On se donne bonne conscience avant d'aller souper. On s'y rend pour faire de l'exercice avant de rentrer à la maison. «La forme! La forme! C'est une chance pour moi», se dit Nancy qui y enseigne depuis deux ans.

– Salut, Nancy, on se voit au cours? lance une dame au corps vieilli.

Des muscles fermes dans une peau d'orange. D'un signe de tête affirmatif, Nancy confirme et prend l'appareil de la réceptionniste.

– John...

En attente. Nancy sait qu'il a répondu à un autre appel. Plus important bien sûr. «Ces maudits criminels...» se dit-elle.

– Je suis sur la route, un dossier qui...

Il n'a pas le temps de terminer que Nancy le coupe.

– Oui, je sais, une autre affaire sérieuse. Écoute, j'ai des problèmes avec l'auto.

Elle ne démarre plus! Je peux bien appeler le garage mais tu dis tout le temps que c'est des voleurs. Tu t'en occupes ou...?

– On vient de la faire réparer... Bon... il me reste encore quelques dossiers. Dans 30 minutes, je peux me libérer.

Satisfaite, Nancy repasse l'appareil à la jeune blonde du comptoir et jette un coup d'œil à l'horaire des cours. Son ventre la tiraille et le sommeil l'appelle à tout instant. Elle rêve d'être au lit pour savourer son secret. Heureusement, ce n'est pas encore visible. Ses seins sont un peu plus lourds et son ventre juste un tout petit peu plus rond. John ne l'a pas remarqué. Il faudra bien lui dire mais il faut choisir le moment propice. Ces temps-ci, il est bougon. Elle flatte son ventre avec tendresse et elle se dirige vers la salle d'exercice. Son boulot l'attend au studio 1.

Bien malgré lui, John se retrouve au club. Au tableau central, les cours sont affichés. 17 h 30, step intermédiaire, studio 1, Nancy. Préoccupé, John n'a même pas salué la réceptionniste. Il n'a toujours pas digéré la remise en liberté de Blanchette hier. Lui qui croyait que ce bandit mangerait un peu les murs de sa cellule. Mais non, il s'en est encore tiré. John rage.

En regardant ces corps d'athlète, déambuler, ses complexes réapparaissent. John ne fait pas d'exercice, il manque de temps et surtout d'intérêt. Les trois trous supplémentaires à sa ceinture lui rappellent qu'il prend de l'âge. La culpabilité lui donne envie de bouger. Tout en marchant vers le studio 1, une affiche le saisit, *Spinning in session*. Au rythme d'une musique endiablée, un corps de métal équipé d'un porte-voix dirige la troupe de sportifs. «On pédale, on pédale, pour qui, pour quoi? Allez-y voir. Des marionnettes aux cuisses de pierre. Ahurissant! Tout à fait mon sport», se dit John avec dérision.

À quelques mètres du studio, John entend un air familier, *I will survive*, qui perce les murs. Il colle son nez dans la fenêtre de la porte et reconnaît sa Nancy. Elle est debout sur une plateforme; elle fait dos aux larges miroirs et bouge face à une vingtaine de femmes en leggings noirs, chandails moulants ou larges. Leurs épaules sont musclées et elles suent.

– Step touch 1-2-3-4. Grapevine to the right, to the left, again. Repeat, step touch, scande Nancy.

Elle regarde vers la porte et salue John. Il lui esquisse un sourire. Le mouvement de ses hanches l'excite. Elle crie encore plus fort.

– Come on, burn it, burn it. Plus hauts les genoux. On saute. On continue.

John piétine. Ses yeux balancent entre ces corps fermes et son ventre mou. Après quelques minutes, la porte s'ouvre, il prend Nancy dans ses bras, l'embrasse et lui chuchote à l'oreille:

– J'ai envie de toi.

– Je suis tout en sueur... répond impatiemment Nancy. Mon auto ne démarre plus. J'aurais dû suivre mon idée aussi et acheter une européenne. Toi pis tes économies.

Sur un ton plus que compréhensif, John rétorque:

– Tu as raison, ma chouette, mais tout s'arrange, tu sais.

Dans un élan amoureux, John place ses mains autour de la taille de Nancy mais sa réticence le refroidit. Ce qu'il la trouve belle et sensuelle! John est attiré par cette femme-enfant. Il veut profiter de chaque moment avec elle. Nancy partage-t-elle sa passion? John en doute; le travail et sa taille comblent son univers! Lui qui croyait prendre une bouchée avec elle. Amère déception car elle lui annonce qu'elle doit travailler.

– Tu pourrais au moins m'embrasser, lui lance un John déconfit.

Il la serre dans ses bras. Nancy effleure le bout de ses lèvres. L'étreinte est courte. Nancy s'éloigne rapidement et John la suit en essayant de la rattraper. Bien sûr, il va s'occuper de sa voiture. Puis après, il ira à la maison l'attendre une autre soirée.

IV

Depuis la mort de papa, je n'ai pas encore eu de tête-à-tête avec Me Morris. On dirait qu'il m'évite. J'aurais cru qu'il m'aurait appelée, lui si près de papa. Je me rappelle les propos de papa: «Harvey est un bon associé, un peu excentrique, il est honnête et fidèle. J'ai entière confiance en lui. Je n'ai aucune difficulté à lui refiler ma clientèle quand je suis absent.» J'ai tant de questions pour lui.

C'est la première fois que je suis assise à la place de mon père dans son bureau. Tout y est ordonné. Je ne sais si Pamela a déplacé les papiers mais tout semble respecter l'ordre de papa. Rangé dans ses affaires mais pas dans ses amours. Une vie parallèle mystérieuse. Tous ces secrets pendant tant d'années.

J'ouvre les tiroirs dans l'espoir de trouver la clé de l'énigme. J'y retrouve une de mes cartes postales. À cette époque, je contestais tout. Je me rappelle, je ne parlais à mon père que pour lui demander de l'argent. Généreux, papa ne refusait jamais mais je sentais sa désapprobation à l'égard de mes choix de vie et de mes amis. C'était dans ma période artiste, je dénonçais sa bourgeoisie mais j'en profitais royalement. Il disait que j'attirais les vautours qui abusaient de ma candeur.

Des coups à la porte dérangent ma lecture. Harvey Morris entre nonchalamment. Un sourire du coin des lèvres et un simple bonjour le précèdent. En se soutenant, il s'assoit lentement dans le fauteuil rouge en face de moi. Il m'observe. Je romps le silence.

– Mᵉ Morris, je suis heureuse de vous voir. J'ai besoin de vous parler.

– Je comprends ton désarroi. Je ferai tout pour te rendre service.

J'ai l'impression que mon père est un étranger et que Mᵉ Morris peut m'aider à le découvrir. Je sors de ma serviette des documents que Pamela m'a remis.

– Dans son testament, papa donne une somme importante à la Fondation des maladies mentales. D'où vient cet intérêt, selon vous?

– Ton père ne comprenait pas un geste aussi radical que le suicide. Il avait été marqué par la mort violente du fils d'un de ses bons clients.

– Alors vous pensez vraiment que papa s'est suicidé?

Mᵉ Morris détourne la tête:

– Ton père n'était pas du genre à se tuer. Mais enfin chaque humain a son côté obscur.

– Quel était le côté obscur de papa? Était-il préoccupé par les affaires? les clients? les états financiers du bureau? Avait-il des dettes? des problèmes avec les femmes?... J'ai appris pour Viviane. Vous étiez au courant?

– Pas vraiment. Tu poses beaucoup de questions en même temps.

Après avoir enfoncé son dos dans le dossier, Me Morris enchaîne:

– Récemment, ton père m'avait confié qu'il était las et fatigué de pratiquer dans un domaine aussi exigeant. Ses journées avaient plus de 24 heures. Beaucoup de responsabilités, de gros dossiers et des sommes d'argent importantes en jeu. Je sais aussi qu'il prenait des médicaments... pour récupérer et diminuer son stress.

Je m'attends à ce qu'il aborde les états financiers du bureau. Ses yeux sont tournés vers le diplôme de papa exposé au mur. On dirait qu'il est ailleurs. Puis, Harvey se lève et se dirige vers la fenêtre panoramique.

– Vous savez, Tania, votre père était un homme orgueilleux. Il avait deux préoccupations: vous et le bureau. Il ne pouvait souffrir que les affaires aillent mal et qu'on ternisse sa réputation. Il était aussi très fier de vous. Il ne cessait de répéter à tout le monde que vous étiez sa plus belle réussite. Il aurait fait n'importe quoi pour votre bonheur.

Mon interruption semble le surprendre:

– Que voulez-vous dire ?

Après un long silence, Me Morris murmure:

– Tout simplement qu'il vous aimait beaucoup.

Un malaise m'envahit. «Pourquoi faudrait-il que je me sente coupable de sa mort?»

– Vous aviez une assurance sur la vie de papa, n'est-ce pas?

– Depuis notre association, nous avons toujours maintenu chacun une assurance sur la vie de l'autre. C'est comme ça en affaires, Tania, me dit-il sur un ton sec.

– Et les comptes du bureau, Me Morris?

Il me regarde droit dans les yeux et répond sur le même ton.

– Quelques comptes sont en souffrance mais certains calculs additionnels sont nécessaires. Ne t'en fais pas.

Et devant mon insatisfaction, il ajoute:

– Il est difficile pour le moment de t'expliquer... Je te promets. À la fin du mois prochain, les comptes balanceront.

Sur ces mots, Me Morris me salue et quitte le bureau en prétextant un rendez-vous. Cet entretien ne me satisfait pas. Je n'ai pas pu clarifier la question des états financiers et cette façon qu'a Me Morris d'éluder les questions me laisse perplexe.

V

– Envoye! Faut sortir d'icitte au plus crisse. On n'a plus que 10 minutes pis y en a deux à déplacer, après on sacre notre camp, lance Éric.

– J'arrive. Non mais, faut-tu être imbécile! y parque son char pis, y l'barre même pas. Faut dire qu'avec un char pareil, tu dois avoir la tête ailleurs, répond Patrick.

Depuis deux mois, ils font leurs coups ensemble. Éric joue au caïd. Patrick, alias Fat, obéit aux ordres. Il connaît tous les garages intérieurs de Montréal. Son père, condamné en tôle pour deux ans, lui a montré les rudiments du métier. Patrick va lui rendre visite tous les weekends au pénitencier de Sainte-Anne-des-Plaines.

Tournevis et pince à l'intérieur de sa poche arrière, Éric stresse. L'opération ne se déroule pas assez vite à son goût. Il a promis deux Mercedes avant 23 heures. La ronde du préposé au stationnement a ralenti leur boulot. Et Fat est en troisième vitesse aujourd'hui. Une grosse grippe lui paralyse les doigts en plus du cerveau.

Éric n'a pas de temps à perdre avec des malades. Comme pour narguer Patrick, il marmonne:

– T'es un p'tit speedy, toé. Mets tes mitaines, ça va aller plus vite...

Une panne d'électricité! On voit plus rien! Éric serre le collier en billes de bois qu'il porte religieusement autour de son cou. Cacher son malaise. Patrick ne doit pas le savoir. Éric a une peur bleue de l'obscurité. Des mauvais souvenirs de son enfance; des attouchements dans le noir par ce vieux gros sale, un des nombreux conjoints de sa mère. Il avait huit ans, et cela se répétait nuit après nuit. Il s'était bien juré un jour de le battre à mort mais ce vieux pédé a fait une embolie cérébrale. On l'a placé dans un centre avec sa chaise roulante. Depuis lors, une lumière crue accompagne toujours le sommeil d'Éric.

Quelques instants de panique et c'est le retour à la normale. Neutraliser le système d'alarme, faire sauter l'allumage et voilà! le tour est joué. Patrick est au volant. Éric monte rapidement. Sortir l'auto du stationnement de la Place Bonaventure est un jeu d'enfant pour ces jeunes experts. Puis ces véhicules de luxe sont conduits à Rivière-des-Prairies. On les maquille, altère leur numéro de série et on les livre aux clients. Il y a aussi des commandes spéciales. Éric vole et livre alors à l'endroit demandé. Ce soir on abandonne l'auto au port comme lors des vols de la Place Ville-Marie.

Demain, ce sera le stationnement d'un centre commercial. Éric et Fat localisent les véhicules des cinéphiles. Pendant la représentation du film, il sont assurés d'avoir tout le temps nécessaire pour les surprendre à leur sortie. Du travail en plein air pour les belles soirées d'été!

Cette nuit, Éric aimerait bien mieux ne pas se retrouver seul dans sa piaule. Il espère Vanessa. Il lui a promis de lui fournir de la coke; en échange, elle arrêtera l'héroïne. C'est sa manière à lui de la sauver. Elle viendra peut-être se réfugier chez lui, comme hier soir. Il s'illusionne et l'attend en rêvant.

Samedi 1er juillet

Samedi 1er juillet

I

Le salon Chez Alfredo a pignon sur le boulevard Saint-Laurent depuis deux ans. Luc Dagenais, connu de ses clients sous le pseudonyme d'Alfredo, y est coiffeur depuis l'ouverture. Un spécialiste de la couleur. On l'a vu *bleacher* la tête des stars rock de Montréal mais il est surtout réputé pour ses dégradés d'auburn et ses blonds cendrés des femmes dans la quarantaine.

C'est là qu'Harvey l'a rencontré. Alfredo a réveillé en lui cette petite bête sauvage endormie depuis des années. Depuis, une passion charnelle les lie: celle des baisers à la dérobée et des coups de téléphone à toute heure. Harvey ne peut plus se passer d'Alfredo. C'est physique.

Samedi matin, Harvey ne devait pas se présenter au salon. Après la dernière lettre de chantage, Alfredo et lui avaient décidé d'espacer leurs rencontres. Mais Harvey n'en peut plus.

– Monsieur Morris, vous n'avez pas de rendez-vous. Mais vous êtes chanceux, Alfredo peut s'occuper de vous dans 30 minutes, Madame Lebel a annulé.

Harvey et la chance! Cette semaine, au casino, il a perdu plus de 50 000 $. Le temps presse. Il sait qu'il devra rembourser le compte en fidéicommis de l'étude avant que Tania apprenne la nature de ce détournement d'argent.

En attendant, il faut profiter des mains d'Alfredo qui lui massent la tête tendrement.

– Tu montes au mont Tremblant demain? Quant à tricher... lui suggère Alfredo de sa voix langoureuse. J'ai installé une nouvelle fontaine, à droite de la porte d'entrée, une tête de lion... comme dans un jardin italien.

Harvey sent un frisson lui parcourir l'échine. Ils ont acquis le chalet à gros prix. Le gratin de Montréal se retrouve dans ce lieu de villégiature des Laurentides. Endroit fort recherché par les Américains et les Asiatiques, son centre de ski vaut bien des stations d'Europe. L'été, on s'y rend pour ses lacs fabuleux.

– On est en retard de deux mois pour les versements de l'hypothèque, d'ajouter Alfredo.

La pression exercée par les doigts d'Alfredo est plus intense.

– Donne-moi encore quelques jours. Le paiement de l'assurance-vie devrait rentrer. Harvey murmure ces paroles sans grande conviction.

– Tu termines ta journée tard? Après tout, le mont Tremblant, c'est à deux heures d'ici.

II

Dans sa chambre noire, Simon alterne les temps de développement; sa spécialité est les photos en noir et blanc. Il travaille sur un contrat payant pour la revue W. Généralement, une variété de clichés se retrouvent sur ses planches de contact et les styles ne manquent pas.

Le choix des photos percutantes l'embête; autant l'ex-centricité l'attire, autant son réalisme à outrance le fait hésiter. Ce soir il travaille. Pas facile, le métier de photographe à la pige!

– Je peux entrer?

– Un instant, Tania. Donne-moi quelques minutes.

La chambre noire de Simon est accessible par la cour arrière de la maison. On n'a qu'à descendre l'escalier en serpentin à l'extérieur de son appartement pour y accéder. Au dessus, des vignes sur des treillis cachent un petit jardin aménagé sur notre coquette terrasse. Zoulou, Zorro et Zézette, les trois chats de Simon, l'habitent sauf quand Hector, le chien du voisin, monte la garde sur la terrasse d'à côté.

Simon ne m'attend pas, il n'a rien prévu et c'est parfait. Il me connaît. Moi qui planifie tout, ma visite improvisée le ravit d'autant plus. J'ai mis mes jeans gris et un pull noir. Mes cheveux sont en bataille, je ne porte pas de maquillage. Quelques gouttes de Loulou et un roman sous le bras. Il ouvre la porte, plisse des yeux et il maugrée un sourire langoureux.

– J'aime ta surprise... Hum... Tu sens bon, me chuchote-t-il à l'oreille. Puis ses lèvres mouillent ma bouche sèche.

– Tiens, je t'ai apporté Le carnet rouge de Paul Auster, en français... Tu me dis toujours que l'anglais, pour toi, c'est du Shakespeare. Et puis je veux te parler de

l'enquête. Ça ne t'embête pas trop? lui dis-je en lui touchant les lèvres avec le bout de mon index.

Cachant mal sa déception, Simon enchaîne en examinant Zoulou, le plus vieux de ses chats qui s'amuse dans
les retailles de papier.

– Merci pour le livre et pour le reste. Tu as cinq
minutes? me dit-il.

– Il me faut plus. On négocie. Tu m'écoutes et je dors
ici.

– Marché conclu, de dire Simon en m'effleurant le sein.

– J'ai besoin de... Comment un gars qui semble tout
avoir peut-il penser mettre fin à ses jours? Ça t'est arrivé
à toi? Tu y as déjà pensé?

– Non, me dit-il d'un ton affirmatif. Ordinairement les
gens se tuent parce qu'ils sont déprimés. L'argent ou le
spleen! «That's the question.» Mais je ne suis pas psychiatre! Vous n'avez pas un médecin à la cour qui s'occupe de ça? Faudrait le consulter.

Remarquant mon mécontentement, il ajoute:

– Tu devrais arrêter de te tourmenter. Tu ne pourras
rien changer à cette mort. Et en plus, tu pourrais découvrir des choses qui te déplairont. Alors, pense à toi et
regarde en avant. Ton père te conseillerait de faire de
même.

Je sens son impatience. Pour lui, tout a été dit.

– Ça semble simple pour toi. Mais il manque tellement
de morceaux à ce casse-tête. Je ne peux laisser aller

comme tu dis. Si mon père s'est tué, alors je veux comprendre pourquoi.

Simon ne réagit pas. À part les ronronnements de Zoulou et nos respirations, le silence s'installe dans la pièce. J'aime cet homme. Sa présence m'apaise. Et comme pour me changer les idées, il me pousse tendrement.

– Allez, viens, j'ai des planches de contacts à te montrer. Un méga party! Hallucinant...

– Tu m'avais promis cinq minutes.

Je n'ai pas le temps de finir ma phrase que la chaleur de son corps me convainc. La terre ne s'arrête pas de tourner. On en reparlera plus tard.

– Regarde et dis-moi lesquels choisir.

J'examine ses prises instantanées. Le noir et blanc révèle davantage les émotions et les états d'âme, mais quelle indiscrétion, ces photographes! Sans pudeur, ils vous déshabillent une âme.

– Étonnantes, ces photos ! Mais tu en as pour faire toute une exposition.

– Un verre de vin? Ça relaxe.

– Je veux bien.

Je jalouse cet appareil-photo qui partage à tous les instants cet amour tendre de Simon. Toutes les photos qui tapissent les murs de son appartement dégagent d'ailleurs cette même signature sensible. On a l'impression de zapper sans cesse d'une émotion à l'autre.

– Et puis, qu'en penses-tu? me demande Simon.

Tout en le félicitant pour son originalité, je porte mon attention sur une photo. Je prends une loupe. Ce visage, je le reconnais! Non, c'est impossible! Devant mon incrédulité, Simon me questionne.

– Tu as déjà vu cet homme?

– C'est l'associé de papa! J'en suis sûre! Harvey Morris dans un party rave!

Simon allume la lumière infrarouge et ferme la porte sur Zoulou et Zézette qui essaient de se faufiler en douce. Je réfléchis pendant que Simon agrandit le contact. Comment vais-je aborder cette question avec Me Morris? Je ne sais si papa était au courant de la marginalité de son associé.

Dans cette pièce minuscule à l'abri de tout, le temps semble suspendu. Appuyée sur le lavabo, j'examine Simon, sa peau hâlée, ses traits définis. Je le désire. Je n'ai plus qu'une obsession, le prendre. Mon ventre et mes hanches tremblent. Je m'approche et j'emprisonne son torse. Il réagit amoureusement et pour attendrir ma rage, il m'amène dans sa chambre pour éterniser cette passion. C'est une nuit d'un autre monde. Je suis plus vivante que jamais!

III

«Vanessa! Petite sœur, où es-tu?» Depuis ce téléphone lui annonçant l'évasion de sa sœur du centre de désintoxication, Philippe hante les rues. Inquiet, il la cherche en taxi, entre deux clients, ou à pied pendant ses heures libres. Un des fournisseurs d'héroïne de Vanessa refuse de lui parler; la ruelle où elle niche habituellement est déserte. Aucune trace d'elle. Philippe ne peut croire qu'elle a recommencé son calvaire. Même à la piquerie de la rue Saint-Urbain, on dit ne pas l'avoir vue. Les junkies se protègent entre eux.

Philippe se promène dans le quartier gai. À cette heure de la nuit, on se croirait en plein après-midi. Avec une adresse dans les mains, il compte se rendre chez Éric. Il marche sur Sainte-Catherine. Devant lui, un jeune couple d'homosexuels déambulent, mains sur les fesses. Maillots en cuir, tatous sur les biceps, on dirait des jumeaux. De l'autre côté de la rue, masqué d'un maquillage de music-hall, un travesti en manque d'homme lui lance un clin d'œil. Philippe continue son chemin sans mot dire.

À la rue Beaudry, Philippe tourne à gauche et monte vers le nord. Au 1275, il s'arrête face à l'appartement d'Éric. Vanessa s'y trouve peut-être. Dans les marches, le corps d'un jeune homme étendu bloque l'accès. Philippe le pousse avec ses mains et l'individu sursaute.

– Hé, man, qu'est...?

Il balbutie quelque chose d'inaudible et reprend sa position initiale.

Philippe enjambe le jeune homme et monte au deuxième étage. Pas de lumière. Des circulaires éparpillées, un sac de vidange éventré décorent le balcon. Il appuie sur la sonnette tout en sondant la porte. Pas de réponse. Il essaie une deuxième fois, on sait jamais. Après quelques minutes, il descend et repasse par-dessus l'individu inconscient. Philippe songe à Vanessa.

Est-elle dans cet état? Cachée entre deux poubelles à ronger son âme? Exposée sur la rue à vendre son corps?

Philippe rêve. Un jour, il l'aura, sa maison avec de grandes pièces. Loin de la ville. La stabilité que Vanessa et lui n'ont jamais connue. Il sait qu'il y parviendra, il ne faut pas perdre espoir. Il évoque les mots de sa mère: ne jamais se décourager.

Ses pas le conduisent sur la rue Sainte-Catherine. Philippe zieute les graffs tapissant les panneaux de bois. Il remarque ceux de Cesari, ce jeune loup à la signature verte qui s'amuse à inscrire son tag partout à Montréal. Même sur les passages à niveau au-dessus de l'autoroute Décarie! Réaliser son tag à l'heure de pointe! Pas le genre de Philippe. Il aime mieux préparer des croquis pour ses pièces sur sa petite tablette qu'il garde en poche.

La voix sensuelle de Paula Cole l'accueille au club Ex-Sex. En manque de sensations fortes, il arrive à Éric de vendre son corps à peu de frais dans les isoloirs de ce club vidéo. «C'est vite fait, une pipe à 20 $.» Philippe fouille tous les coins de l'établissement afin de dénicher Éric.

Dans un premier isoloir, un corps d'adolescent se trémousse devant un vieux bedonnant qui bave de sexe. Les deux autres sont vides. Éric n'est pas ici. La nuit avance. Dans la rue, les gens se dispersent. Ils s'en vont dans leur refuge. Philippe erre de club en club, tous aussi minables les uns que les autres. Personne n'a vu Éric ce soir.

«Il est peut-être aux blocs de ciment? Les jeunes se donnent souvent rendez-vous dans ce terrain vague à côté du club Les foufounes électriques, pense Philippe qui commence à désespérer. Il décide d'entrer dans cette boîte de nuit. Boisson fluo servie dans un méga fusil à l'eau vous souhaite la bienvenue. Il n'a pas le choix, c'est le billet d'entrée. Toute la faune du *red light* est réunie dans ce repère. Ici, on se fout des conventions et des lois.

Adulé par des punks du quartier, Éric s'éclate sur la piste de danse. Comme un diable en personne, hors du temps, il fonce dans l'espace avec fureur. Il est sur le party. Ça ne sert à rien d'insister.

Dimanche 2 juillet

I

Après cette nuit, je suis embrouillée. Trop de passion et de préoccupations. Le dossier de René Pelletier me fatigue aussi. L'histoire classique du bon gars qui, dans le passé, a agressé sa fille sexuellement. Vingt ans se sont écoulés depuis. La triste histoire d'un père de famille sans antécédent judiciaire. Son aînée a subi un lourd traumatisme et elle cherche justice. Le procureur de la couronne demande de la prison. Le client admet ses torts, il a suivi une thérapie, il faut choisir le juge pour éviter l'emprisonnement. C'est vraiment un dossier où l'individu ne devrait pas être incarcéré. Ça revient à la cour demain pour plaidoyer, j'ai déjà obtenu une remise, je n'ai pas le choix.

Il est 14 heures et je flâne. D'un œil distrait, j'ai parcouru le *New York Times* du dimanche. Christiane n'est pas entrée dormir, elle est encore à Cactus probablement. Une sainte femme qui ne peut ignorer un appel de détresse.

Une marche au parc me fera le plus grand bien, rien de mieux pour remettre les boulons à la bonne place. M'asseoir sur un banc public et observer les passants du dimanche après-midi. Des pédalos bleus et rouges patinent sur l'étang pendant que des enfants jouent au soccer. Des couvertures comme des taches de couleur tapissent la verdure. Des amoureux se bécotent. Les familles partagent leur bouffe et les chiens se précipitent dans toutes les directions.

Petite, j'y venais souvent avec papa. Je m'amusais à courir après les pigeons, assurée d'en attraper un. À l'époque je demeurais avec Jacqueline et même s'il était très occupé, papa ne manquait pas notre rendez-vous. Il me racontait son dernier voyage et je lui posais souvent les mêmes questions à propos de maman. Il était vraiment en amour avec elle. Lorsqu'il en parlait, une bulle de douceur l'enveloppait.

– Une glace, un sandwich au chocolat? demande un jeune homme derrière son frigo blanc bardé d'étiquettes.

Je prenais un cornet à la vanille recouvert de noisettes et de chocolat. C'est toujours mon préféré...

Papa savait-il qu'il avait un associé aussi marginal? Il avait Harvey en haute estime. Comment aborder cette question de la photographie? Aller droit au but sans détour? De toute façon, Harvey me doit des explications... Il est temps de rentrer. Sur le chemin du retour, je passe devant le Théâtre de verdure; les décors sont montés pour *Tartuffe* de Molière. «Je devrais inviter Harvey. J'en saurais peut-être plus!»

II

Les lumières sont tamisées. *In the Mood* de Glenn Miller parvient jusqu'au balcon. Une brise douce court et les oiseaux du paradis veillent. Bien étendu sur son canapé de cuir brun, Harvey essaie d'endormir son mal de dos. Malgré les calmants, il résiste.

La sonnerie du téléphone le ramène brusquement à la réalité. Harvey traverse la salle de séjour décorée de tableaux d'époque et de sa collection d'anges du XIXᵉ siècle. Il décroche à la deuxième sonnerie.

– Bonsoir, Me Morris. Il fallait que je vous parle. Je vous dérange?

– Tu sais bien que tu ne me déranges jamais, Tania. Avec hésitation, il poursuit: Au contraire, il y a des moments où l'on aimerait que l'autre pense à nous, n'est-ce pas? ajoute-t-il comme pour chercher mon approbation.

– Notre rencontre de vendredi a suscité plusieurs autres questions. Je veux revoir les états financiers du bureau avec vous et vous montrer certains documents. Quand puis-je vous voir?... Demain, fin d'après-midi à votre bureau, ça vous irait?

– Oui, oui. répond Harvey. À demain, Tania, bonne soirée.

Le visage d'Harvey passe par plusieurs nuances de pourpre. Tania soupçonne-t-elle qu'il a falsifié les comptes en fidéicommis? Ne pas s'énerver. Garder le contrôle. Debout, il est rigide comme une barre de fer. Ridicule! Il ne va quand même pas paniquer. Et à voix haute, il récite cette phrase qui l'encourage dans ses situations anxiogènes: «Nous sommes loin de la mèche qui raccourcit à vue d'œil vers la poudrière!» Soulagé, il se met à rire.

III

Vanessa n'a pas dormi ni mangé depuis deux jours. Il lui faut un *hit*. La veille elle a passé la nuit au parc Berri. Dans ses poches, une seringue ramassée par terre et ses tripes s'affolent. De son plus beau sourire, Vanessa grimace. Des crampes à la faire saluer. Ses yeux de sainte vierge n'apitoient plus personne. À cette heure tardive, les trottoirs de Montréal sont vides. Vanessa a besoin de vent dans ses voiles.

Au coin de la rue, un gars dans une grosse bagnole blanche lui fait signe de monter. Du fric en perspective. Vanessa n'hésite pas et prend place dans la voiture.

– Combien tu charges pour une pipe? lui demande le type vêtu d'une chemise de polyester à motif de pied-de-poule, haletant juste pour prononcer ces quelques mots.

– C'est 25 $ payables d'avance et je fais ça dans l'char, s'empresse de dire Vanessa.

L'homme chauve aux lunettes réplique qu'il paiera après le service rendu. Vanessa a tellement faim qu'elle accepte. L'automobile s'arrête dans un stationnement sur la rue Ontario. Il fait chaud, les chats miaulent et Vanessa voudrait les oublier.

Une pipe pour s'offrir une dose de rêve mais le salaud ne veut pas payer. Trop court! Pas à son goût. Il ouvre la portière, Vanessa se trouve expulsée de la voiture. L'automobiliste démarre à toute vitesse. Vanessa le traite de tous les noms, et esseulée, en rage, elle le regarde partir.

Elle arpente le boulevard Saint-Laurent et s'accroche à tous les murs. En longeant la vitrine du Jovi, Vanessa s'énerve à la vue de la caisse enregistreuse. Un tout petit dépanneur avec des allées étroites et des boîtes partout. On se croirait dans un entrepôt en désordre. La même petite Vietnamienne, assise sur son tabouret, lorgne toujours la rue de ses yeux en amande. On dirait une statue. À part la courbure de son dos, elle ne fait pas son âge.

– Donne-moi ta caisse ou je te pique. Vanessa est entrée sans réfléchir.

En voyant la seringue pointée vers elle, la Vietnamienne lui remet une poignée de cinq dollars. Vanessa s'enfuit en courant. Il lui faut un *hit*. Tout de suite.

Trouver son vendeur. Elle marche vers l'est sur la rue Sainte-Catherine. Elle le verra sûrement. Il se tient dans les parages. Vanessa frissonne. Elle le reconnaît, un grand à la chevelure mauve. Sa cicatrice à la joue droite, plus visible la nuit, le fait paraître beau. Le corps frénétique de Vanessa le supplie.

– Cinq minutes de smack. Je te donne le fric que j'ai.

– Tu m'dois déjà beaucoup. J'pourrai pus te faire crédit longtemps. T'as compris?

Les mains tremblantes, Vanessa déroule les billets fripés. Elle s'agrippe au sachet saupoudré de bonheur. Reste à se trouver un endroit pour se piquer en paix. En entrant chez Burger King, elle titube en attendant les sueurs froides. Son paradis est à deux pas. Ici pas de néons bleuâtres l'empêchant de se piquer. Seule, il suffit de trouver le spot. La veine sur le dos de sa main gauche. Elle la taponne, la fouette pour la faire gonfler jusqu'à ce que la dose voyage dans tout son corps.

Bien assise sur le siège de toilette, les bruits s'alourdissent. Le plafonnier s'abaisse et la serrure scintille. Inerte, Vanessa contemple sa caverne d'Ali Baba. À la vitesse d'une tortue, ses longs doigts fins réussissent à pousser le loquet et ses jambes, à la conduire aux portes vitrées.

La Catherine la nuit! Quelle beauté! Les étoiles sont accrochées. Le temps est suspendu. L'héroïne prend toute sa place. Un vampire qui aspire tout son air. Des minutes d'éternité.

Lundi 3 juillet

I

– Écoute, Bernard, le docteur Trenton a une excellente réputation. Ce n'est pas parce que ses rendez-vous retardent qu'on doit en faire tout un plat.

Viviane aimerait tellement mieux être ailleurs en ce lundi matin que dans cette salle d'attente d'une clinique psychiatrique. Et voilà Bernard qui veut partir. Dépressif, il se comporte comme un enfant et il faut qu'elle l'accompagne chez le médecin de peur qu'il ne s'y présente pas. Et elle est là à ses côtés à faire semblant que tout va bien. Une semaine s'est écoulée depuis les funérailles de Robert et elle ne comprend toujours rien. Enterrée vivante, c'est cela, on l'a enterrée elle aussi. Être pendant 24 heures libérée de toute contrainte, pouvoir pleurer à sa guise sans avoir à s'enfermer sous la douche pour ne pas qu'on l'entende sangloter. C'est à cela qu'elle rêve.

– Monsieur Cousineau, le docteur vous attend.

Bernard se lève. Sa démarche est lente et son pas, hésitant. Une barbe de deux jours et des vêtements négligés confirment le malaise. Son corps devient de plus en plus le reflet de son âme. Et son obstination à croire que les autres ont tort. Il ne prend pas ses médicaments régulièrement. Il faut dire que la mort de Robert l'a profondément touché. Sa confiance était entière en cet homme. «C'est moi qui aurais dû mourir, pas Robert», se répète-t-il.

La salle d'attente est occupée à pleine capacité, des personnes de tout âge. Des yeux sans expression, des mains qui tremblent, des lèvres qui ne s'humectent pas. Et dans le groupe quelques soleils. Viviane a remarqué ce beau jeune homme qui revient lui aussi régulièrement depuis un an. Il la salue maintenant, son regard s'est éclairci. Si Bernard voulait suivre les conseils de son psychiatre! Le fardeau serait moins lourd.

La semaine commence et elle lui semble interminable. Comment fera-t-elle pour continuer sans sombrer? «Une journée à la fois et se le répéter pour s'en convaincre.» Pourtant, elle le sait maintenant, seul le temps ouvre les portes de l'oubli. Oublier l'intonation de la voix de Robert, le plissement de ses yeux lorsqu'il souriait.

Perdue dans ses pensées, Viviane n'entend pas Bernard.

– J'ai une nouvelle prescription. Tu vois, je n'avais pas le bon médicament. Ce n'est pas toujours de ma faute... Viviane, je te parle.

Le ton monte. Viviane se lève et esquisse un sourire comme pour se faire pardonner.

– On rentre, je te dépose à la maison. Je dois retourner à la boutique.

Viviane ne s'est pas retournée pour entendre la réaction de Bernard. Elle a assez composé pour aujourd'hui.

II

J'ai quitté le palais de justice précipitamment. J'ai demandé qu'on me remplace cet après-midi à la salle des comparutions. Les représentations sur sentence de René

Pelletier ont été reportées au mois de septembre, la victime veut témoigner contre son père.

J'ai un besoin urgent d'en savoir plus sur Caroline Perreault, cette fille qui fut la dernière à voir papa vivant peut-être. J'ai appris son décès. Elle est morte quelques heures avant la rencontre prévue avec Nicholas. En m'annonçant cette nouvelle, l'inquiétude perçait sa voix. Une coïncidence?

Midi, Place Ville-Marie, les courriers à bicyclette sont tous là assis sur le bord du trottoir, des jeunes en short moulant, des gants sans doigt et des t-shirts à la James Dean. Je m'avance vers eux en traversant la rue. On ne me regarde pas. En fait, la Place Ville-Marie abrite aussi de nombreuses études légales. L'heure du lunch est particulièrement active et les touristes profitent de la journée pour flâner dans les grands magasins avoisinants.

– Je cherche quelqu'un qui connaît Caroline...

Je n'ai pas le temps de finir ma phrase. Un grand mince se déplie le corps et s'avance vers moi. Ses yeux sont cernés, son sourire absent.

– Caro a fait sa dernière livraison. Qu'est-ce que vous lui vouliez? Je suis Charlie, me dit-il en me tendant la main.

– Tania O'Neil. Je suis navrée de vous importuner. Je sais que Caroline... est décédée à la suite d'un terrible accident.

Charlie détourne la tête. Les autres cyclistes s'affairent à recevoir par walkie-talkie leur itinéraire de l'après-midi.

– Cela ne doit pas être facile. Vous la connaissiez bien?

En fait, Charlie n'a jamais imaginé la vie sans Caro. Ils pédalaient ensemble depuis bientôt trois ans. Il se remémore leur première rencontre. Elle ne devait pas avoir plus de 17 ans et fut longtemps la seule fille du groupe. Caro parlait peu et faisait partie de cette race de personnes fiables. Ils partageaient la même passion pour la danse et depuis quelques mois, le même rêve: partir gagner leur vie à New York.

– C'était ma meilleure *chum*, dit doucement Charlie, les yeux pleins d'eau.

– Mon père, Robert O'Neil, est décédé il y a 10 jours. Caro serait probablement la dernière personne à l'avoir vu.

Je ne me résous pas à croire que leur disparition soudaine ne soit qu'un malencontreux hasard. Je veux voir où elle habitait, je ne sais pas pourquoi... pour mieux comprendre. Nos regards se croisent et je sens le courant passer.

– Je me propose de me rendre à son logement en fin d'après-midi. Sa mère est retournée au Lac-Saint-Jean. Je vais chercher son poisson rouge...Vers 16 heures, ruelle Demers, près de Saint-Denis, venez m'y rejoindre.

III

Assise devant un bureau bien rangé, ses mots croisés à sa droite et son esprit concentré sur son téléphone, Pamela tente de convaincre son interlocuteur. Elle ne m'a pas vue entrer à la réception.

– Ne vous inquiétez pas, monsieur Mailhot, Mᵉ Morris va s'occuper de vous. Il vous téléphonera pour vous fixer un rendez-vous. Vous savez, nous vivons des moments difficiles, mais votre dossier est pris en charge. C'est cela...

Pamela détache son veston et, après avoir regardé subtilement à droite et à gauche, elle défait sa ceinture et le bouton de sa jupe. Un mouvement rapide dans son tiroir et elle enfile un caramel en un temps record. Puis elle m'aperçoit et se lève:

– Me Morris n'est pas arrivé. Voulez-vous attendre dans le bureau de votre père? demande-t-elle comme si elle se sentait coupable de son retard.

– Non, Pamela, mais apportez tous les dossiers de papa avec les cartes clients dans la salle de conférences.

Toujours tirée à quatre épingles, cette Pamela. «La secrétaire parfaite», se plaisait à dire papa. La voilà qui revient dissimulée derrière une pile de dossiers.

– Ça devrait vous occuper pour le reste de l'après-midi, M^e O'Neil !

Je serais incapable de travailler avec cette femme qui semble toujours en contrôle de la situation. Son assurance m'énerve. Mais ce n'est pas le moment de lui montrer qu'elle me tape sur les nerfs.

– Pas de nouvelles de Me Morris?

Immédiatement, Pamela réplique:

– Il avait un rendez-vous avec un client… Vous savez, Me Morris n'est plus le même. Il s'impatiente pour un rien, ne prend pas tous ses appels et il s'absente souvent.

Puis elle ajoute sur le ton de la confidence d'une voisine de palier.

– La mort de votre père l'a grandement affecté. Mais entre vous et moi, M^e O'Neil, c'est pas très bon pour les affaires du bureau. Votre père serait mécontent, lui si rationnel.

Sur cette note, les yeux dans l'eau, elle décide enfin de partir. Seule dans cette grande pièce, je pense à papa et à Harvey. Associés depuis de nombreuses années comme un vieux couple. Comment papa s'y prendrait-il pour gérer une situation aussi délicate? Les photos d'abord ? Du tact et de la stratégie. Le laisser parler. «Harvey est une personne sensible, un être compliqué rempli de paradoxes et de trous noirs, Tania», me disait papa. Oui, mais un contre-interrogatoire bien mené produit de bons effets. Savoir planter ses poteaux. Une vieille leçon d'un vieux routier en droit criminel. On verra bien.

Avec un bon 30 minutes de retard, un Harvey fébrile se pointe dans la salle de conférences. Son teint basané témoigne du temps passé au soleil. Je remarque qu'il reste élégant même si ses pantalons de toile sont froissés.

– Tania, Mme Luce m'a retenu plus longtemps que prévu. Désolé du retard.

J'ai besoin de ne pas lésiner avec le sujet, j'aborde la question directement:

– Me Morris, j'ai réexaminé les comptes en fidéicommis. Quatre ne balancent pas. Des montants importants manquent. Le comptable n'est pas en mesure d'éclaircir la situation. Vous ne m'avez pas rappelée à ce sujet.

Harvey prend les livres dans ses mains et s'installe à la table de travail. Sa mine est défaite. Puis, bien avant que mon plan stratégique soit mis à l'épreuve, l'associé de mon père craque. Comme une pétarade continue, le ballon se dégonfle. On dirait un adolescent qui a fait une belle gaffe et qui regrette son geste.

Harvey, un passionné du jeu! Une maladie incurable. Ses yeux veulent me convaincre de son profond regret. J'écoute. Pendant tout son récit, Harvey évite de prononcer le nom de mon père. Un fétiche à éviter. Ma compassion est grande comme un timbre-poste. Il se frotte le cou, le tourne de droite à gauche, sa peau moite me répugne. Quel fourbe!

– Ma passion me tue à petit feu. Les comptes en fidéicommis furent ma seule porte de sortie. Ton père me comprenait. Il m'a beaucoup aidé... J'ai endetté le bureau. Lui qui travaillait si fort.

Et le voilà qui éclate en sanglots.

– Pourquoi autant de transactions bancaires et si peu de rentabilité, Me Morris?

– Ton père transigeait beaucoup d'argent pour Tomas Vinci. C'était un très bon client. Il pensait qu'il nous sortirait du pétrin, il achetait des stocks pour lui en retour de commissions impressionnantes.

– Nous allons devoir trouver des solutions, Me Morris. Je vous invite à y penser sérieusement et très rapidement.

Harvey ne parle pas. Il acquiesce d'un signe de la tête. Je sens sa profonde humiliation, mais je n'ai pas l'intention de m'apitoyer sur son sort. Un associé qui joue pendant que l'autre travaille comme un forcené!

Puis je me saisis des photos dans mon sac et je les glisse sur la lourde table de chêne. Harvey les prend, ses sanglots s'envolent. Agressif, il ajoute:

– Comment avez-vous eu ces photos?

– Ce n'est pas important. Vous devriez faire attention où vous mettez les pieds. Surtout présentement.

– Ne me juge pas, Tania, ton père acceptait ma double vie, mais... avec les lettres de chantage, je ne sais comment me sortir de ce pétrin.

Sur ces mots, Pamela fait irruption. Prétextant du café frais, elle se faufile entre nous. Les yeux interrogateurs, elle s'attend à une invitation, la fouineuse. Harvey s'empresse de dissimuler les photos dans une chemise. Pamela arrive peut-être au bon moment. Je me lève et m'apprête à partir.

– Déjà 15 heures 30. J'ai un rendez-vous qui ne peut attendre. On se revoit cette semaine. Je vous téléphone.

Harvey me répond timidement et Pamela d'ajouter:

– Venez quand il vous plaira, Mᵉ O'Neil.

La voilà qui reprend un de ces petits gâteaux hongrois à la graine de pavot tout en sirotant son thé. Perplexe, je sors de la salle de conférence, passe devant le bureau de papa et m'interroge; il avait donc une autre raison de mettre fin à ses jours. Un associé qui dépense toutes les entrées d'argent.

IV

En poussant la porte du jardin, je sens la présence de Caro. Son âme y est. Les pivoines commencent à perdre leurs pétales et les bégonias écarlates sont gonflés de soleil. Cette fille aimait la vie.

Charlie m'attend. La porte d'entrée est entrouverte. Je suis saisie par le calme de ce lieu. Sur le mur, des photos. Je m'approche. Une grande jeune fille qui marche sur le bord de la mer, avec en arrière-plan un soleil qui meurt dans l'eau. Puerto Vallarta, 1998.

Dans la cuisine, tout est rangé, au mur un appareil téléphonique. Par réflexe, j'appuie sur le bouton demandeur. Défilent alors des numéros de téléphone. J'en reconnais un, celui de Nicholas. Un autre numéro apparaît sur l'afficheur à plusieurs reprises, le 988-5673.

– La mère de Caro reviendra fermer l'appartement d'ici la fin du mois... Vous savez, ces derniers temps, Caro vivait dans la peur. Le soir de sa livraison, elle a vu un homme qui sortait du bureau de votre père. Depuis, elle se sentait traquée.

– Vous a-t-elle donné plus de détails?

– Non, rien sur l'individu en question.

– A-t-elle parlé aux policiers?

– Je ne crois pas... Lorsqu'elle est morte, les flics ont conclu qu'il s'agissait d'un accident de vélo.

Charlie est assis sur un petit tabouret près de l'escalier qui conduit au deuxième étage.

– Je peux monter?

Charlie me répond d'un signe de tête affirmatif.

En haut, une toute petite chambre à coucher. Le lit occupe le centre de la pièce. Tout y est de couleur crème. Zen. Un grand miroir pour donner une illusion de profondeur nous renvoie la lumière de fin de journée. Au plafond un éventail. Des disques compacts, Johnny Lang, Michel Cusson, Les nocturnes de Chopin. Cette fille était d'une dizaine d'années plus jeune que moi et pourtant partageait mes goûts musicaux. Au mur, une inscription: Dreams are free. Je redescends sans rien bouger.

– J'ai ma voiture. Je vous dépose chez vous, Charlie?

– Vous avez de la place pour lui? dit-il en me tendant un bocal; au fond, posé sur une algue, un minuscule poisson rouge.

J'ai laissé Charlie seul à l'intérieur de la maison. À côté d'un bain d'oiseaux, je l'attends depuis une dizaine de minutes. Du logement, un air de guitare d'Eric Clapton me laisse songeuse. Il n'y a peut-être aucun lien entre la mort de Caro et l'homme dans le bureau de mon père le soir de sa mort, mais il faut que j'en sache plus. Il me faut parler à Nicholas.

V

Un pantalon de lin beige, une coupe parfaite. On ne porte plus le veston à l'heure du lunch, le look californien. La chemise bleu nuit rehausse les yeux perçants de Tomas Vinci.

En quittant Viviane à sa bijouterie, Vinci se dit qu'il ne la reverra probablement plus. Accablée par sa peine, elle ne l'a pas renseigné sur cette mallette qu'il cherche frénétiquement. Il n'avait pas voulu la questionner directement et elle n'avait fait qu'une brève allusion au vol de l'auto de Robert.

Il doit rencontrer Tania O'Neil pour l'apéro à l'Île Noire, un bar de la rue Ontario. Il lui reste une heure pour flâner un peu. En chemin, empruntant la rue Sainte-Catherine, il en profite pour écouter Chick Corea chez HMV, un disquaire fréquenté par une clientèle hétérogène. Il aime Montréal particulièrement à ce temps de l'année. Entourée d'eau, la ville respire l'humidité. Le site parfait pour jouir des langueurs de la musique de jazz.

Qu'allait-il dire au juste à Tania? Que la veille de la mort de son père, il lui avait parlé. Robert O'Neil était dévasté par le vol de son auto bourrée d'argent. En effet, Robert, depuis les trois dernières années, lui servait d'intermédiaire pour blanchir de l'argent provenant de la vente de stupéfiants. Une partie des millions était investie dans des restaurants de luxe et des centres sportifs, l'autre partie voyageait de New York à Montréal. Au Canada, la loi de l'accise prévoit peu de modalités pour des entrées de fonds en provenance d'autres pays. De Montréal, l'argent transitait dans un compte à Genève, puis les sommes revenaient dans une société de gestion ayant son siège social à New York. Cette société était sa création. De ce fonds, des bourses d'étude pour des jeunes défavorisés étaient attribuées une fois l'an. Quelques milliers de dollars distribués pour en sauver des millions! Un jeu d'enfant! «Quel homme généreux, ce Vinci!» se complaisait-il à entendre.

Sur la scène Du Maurier, un groupe latino ensorcèle les jeunes filles. Elles suivent les rythmes sensuels des percussions. Elles n'ont pas plus de 15 ans. Des corps de princesse, des hanches étroites, des bras enrubannés de bracelets de toc. Après avoir écouté deux pièces, Vinci continue son chemin en empruntant la rue Sainte-Catherine. À l'intersection du boulevard Saint-Laurent, il tend un billet de 20 $ à un jeune *squeegee* à la crinière de porc-épic, histoire de se donner bonne conscience. Lorsqu'il a une femme à son bras, Vinci ajoute généralement un «pauvre garçon» et l'effet est garanti! Un fin manipulateur, ce Vinci!

Plus loin, dans la ruelle qui longe le bar Les foufounes électriques, de jeunes ados aux têtes d'arc-en-ciel se partagent des cigarettes et des sandwiches. Exposée dans une vitrine, une jolie blonde se fait tatouer un papillon sur la descente du sein. En face, le pavillon des arts de l'Université du Québec est désert. Les restaurants asiatiques se succèdent. Des femmes au regard langoureux, appuyées aux portes des bars, interpellent les passants.

À l'entrée du métro, Vinci regarde les vendeurs de coke. «Mes distributeurs», pense-t-il en souriant.

VI

«Elle écrit seule à sa table et son café refroidit. Quatre mètres infranchissables, un bar un après-midi.» Une de mes chansons préférées de Jean-Jacques Goldman joue. Assise près de la fenêtre, j'observe. La scène pourrait être new-yorkaise, une foire dans la rue, des gens de toutes origines qui se mêlent, Montréal, aussi chaude et aguichante que cette métropole américaine.

Je surveille l'arrivée de Tomas Vinci. Je n'ai rencontré cet homme qu'une fois. J'étais allée rejoindre mon père à son bureau. Nous avions cassé la croûte chez Moishe's, ce *steak house* tant apprécié par papa. «Mon côté McGill», disait-il. Un homme brillant, ce Vinci, et un sourire à vous dépraver l'âme en deux instants. Papa me disait qu'il est un homme de famille. Il habite en banlieue de New York avec son épouse et leurs trois enfants. Le dimanche après-midi, il ne manque jamais la partie de soccer de l'un deux.

Perdue dans mes pensées, je ne l'ai pas vu entrer. Il m'embrasse sur les deux joues; je reconnais son parfum, *Rush* de Gucci. Un de mes passe-temps est de longer les comptoirs de parfums des grands magasins. J'imagine alors lequel collerait le mieux à la peau de Simon. Le plaisir d'offrir un parfum à son amant.

Vinci approche une chaise et d'un signe de la main appelle le garçon de table. Par inadvertance, mon genou frôle le sien.

– Ce doit être très dur pour toi, Tania. Ton père t'aimait tant. Il me parlait souvent de toi.

À cet instant, Vinci baisse les yeux. Son propos me touche mais en même tant, il crée en moi un malaise.

– Je t'offre un verre, dit-il à l'approche du garçon.

Je choisis une bière belge pour me désaltérer.

– N'avez-vous pas soupé ensemble la veille de sa mort? Paraissait-il troublé?

Vinci se passe la main dans les cheveux d'un geste désinvolte. Longue à la nuque, sa chevelure épaisse lui confère un air macho.

– Il devait me rembourser une somme d'argent. Nous avions investi dans un club de golf. La vente d'actions n'a pas comblé nos attentes financières. Je perds beaucoup d'argent. Je suppose que dans le règlement de la succession, je pourrai faire valoir ma créance. Je comprends que tu n'aies pas envie de parler affaires... Cette situation explique peut-être la tension éprouvée par ton père ces derniers temps.

– Je n'ai pas commencé l'inventaire de la succession. Pour l'instant Mᵉ Morris s'occupe des affaires courantes du bureau. Il faudrait présenter votre créance au comptable.

En l'observant, un étrange sentiment m'envahit.

– Vous restez encore quelques jours à Montréal?

– Je pars vendredi. Après le spectacle de Ray Charles au Centre Molson.

Je réalise que mon esprit est ailleurs. Par ses propos, Vinci me manifeste de la compassion. En même temps, il semble davantage préoccupé par sa situation financière.

– Tu m'accompagnes? J'avais invité ton père, d'ajouter Vinci avec un sourire désarmant.

J'accepte d'un hochement de la tête. Je joue avec mon cœur. Cela ne m'est pas arrivé depuis longtemps.

VII

«Quoi de mieux en cette fin de journée que de rêvasser dans son fauteuil préféré, les pieds sur le pouf», se dit John. Il caresse une enveloppe et la dépose sur la table entre les deux canapés rouge cerise et vert menthe. Un grand bonheur à l'intérieur. Deux billets pour Nancy et lui. Une relâche dans leur vie. John frémit à l'idée de lui annoncer la nouvelle et il se plaît à s'inventer plusieurs scénarios. Comme on effeuille la marguerite, il imagine ses réactions: un peu, beaucoup, passionnément à la folie, elle se rendra avec lui au Costa Rica. L'affaire Blanchette l'a vidé. Il a joué en suivant les règles du système. Cela lui apprendra.

John attend Nancy les yeux rivés sur l'écran de télévision. Il tient jalousement le contrôle à distance comme une pierre précieuse. Depuis le départ de Charlotte, il savoure ce joujou qu'il ne partage plus. Finies les engueulades continuelles, car Nancy, elle, ne passe aucun commentaire; elle le laisse libre de zapper à sa guise.

Mais que fait-elle? Elle devrait être à la maison d'une minute à l'autre. Son ange. John a faim. Seuls du yogourt et des fruits garnissent le frigo. Ses cours l'accaparent tellement que Nancy le néglige. Sa cinquantaine, la diminution de sa testostérone, l'augmentation de sa calvitie ne l'attendrissent pas. Depuis qu'ils ont commencé à vivre ensemble, ses repas ne sont plus préparés, ses chemises ne sont plus lavées ni repassées. Elle ne l'accueille plus en string.

Même la décoration de la maison a été modifiée depuis l'arrivée de Nancy. Charlotte ne s'y reconnaîtrait plus. John a aussi quelques difficultés d'adaptation. L'intérieur est coloré comme un carpette indienne. Les plafonds vert mousse, les murs jaune et une collection d'affiches tapissent les surfaces. «Un trop, plein de soleil», répète constamment Nancy. Elle voulait aussi transformer la salle à dîner en pièce japonaise mais John lui a fait comprendre qu'il pouvait satisfaire leur amour des sushis au restaurant.

La porte se ferme brusquement.

– Bonsoir, tu as passé une bonne journée? demande John qui se lève d'un trait et prend amoureusement Nancy dans ses bras.

– Je suis vannée! La classe de 18 heures me tue! Et j'ai une faim de loup, dit-elle sérieusement.

Comme s'il était gêné de lui avouer sa paresse, John s'empresse de l'inviter au restaurant. À deux pas de la maison, il y a un restaurant sympathique. La moue de Nancy le fait succomber pour une livraison à domicile. Elle s'installe au salon, se cale dans un fauteuil, laisse tomber ses chaussures et promène ses pieds sur les cuisses poilues de John.

– Un verre de vin? ajoute-t-il tout en recommençant son zapping.

D'un naturel déconcertant, Nancy réplique aussitôt:

– C'est mieux que je n'en prenne pas.

John n'est pas certain d'avoir bien entendu la réponse. Inquiet, il riposte immédiatement.

– T'es malade?

Sans hésitation, Nancy lance:

– Non, je suis enceinte.

Nancy paraît soulagée. Même si John savait qu'elle désire un enfant, sa réaction est imprévisible comme une bombe à retardement. John serre les mâchoires et zappe de plus belle. Ses palpitations augmentent et ses joues se gonflent.

– T'es folle, on s'était entendue, lui crie-t-il, les yeux exacerbés.

– Un accident, John, un accident...

Elle répète ces mots sans cesse.

La colère l'envahit. Pourquoi l'a-t-elle trahi? Cette paternité détruit tout. Il l'avait, son bébé dans l'enveloppe.

Désemparée, Nancy sanglote. Elle cherche un peu de sympathie dans le regard de John, mais celui-ci ne flanche pas. Il demeure inflexible et se réfugie dans le zapping avec une fureur telle que les images défilent à la vitesse d'une formule 1. Nancy récupère le souper à la porte, dépose le sac sur la table du salon et s'éclipse dans la chambre.

Immobile et inerte, John broie du noir et l'absence se lit sur son visage. Ses doigts s'agrippent comme un forcené. Son rêve a éclaté. Un enfant l'a brisé en mille morceaux.

VIII

– Bonsoir, chérie. Les enfants vont bien? Non, je ne sors pas de ma chambre, un projet de financement à réviser. Je t'embrasse, ciao.

Après s'être servi une vodka, Tomas Vinci planifie sa soirée allongé sur le lit de sa suite à l'hôtel Omni de la rue Sherbrooke Ouest. Un steak au restaurant La Queue de cheval ou le foie gras poêlé de chez Toqué? Puis, il compose sans hésitation le numéro de téléphone de l'agence d'escorte avec qui il fait affaire depuis des années pendant ses séjours à Montréal.

– Vous m'envoyez Mélissa à 19 heures.

Mélissa, une peau d'ébène et cette chevelure tressée qui tombe à mi-dos. Féline, elle bouge les hanches en s'agenouillant. Et cette bouche qui se laisse guider et vous embrasse comme si vous étiez le premier, le seul à lui causer ce plaisir dévorant. Une femme pétillante avec qui il peut aussi causer en extra. Mélissa termine ses études en comptabilité. C'est pratique dans les lieux publics, s'il croise une connaissance. Elle devient alors une relation d'affaires, une consultante.

Une belle soirée en perspective! Un intervalle dans sa vie conjugale, pour casser la routine. Voilà la recette pour éviter de devenir un vieux couple: l'homme a besoin d'air, c'est connu et sa bouffée de fraîcheur s'appelle Mélissa.

Mardi 4 juillet

I

11 heures, direction centre opérationnel nord. John est au volant de l'auto de service mise à la disposition des policiers affectés à la filature. Nicholas, cigarette au bec, l'accompagne comme dans le bon vieux temps. Que d'intrigues ils avaient résolues ensemble! La dernière, une histoire de tueur en série. Huit meurtres, des mois d'enquête et surtout des nuits blanches à examiner des scènes de crime d'une violence inouïe.

«L'affaire Polar», l'avaient-ils baptisée. L'accusé, un dénommé Quinn, laissait comme signature un livre de poche sur le corps de ses victimes, toutes des femmes d'un âge certain et vivant seules; leur solitude devenait l'appât du meurtrier. Les King, Higgins Clark et Connelly n'avaient jamais reçu de publicité plus morbide.

Cette enquête avait coûté à John de multiples engueulades avec son épouse Charlotte. Nicholas, lui, avait engraissé de 15 kilos.

Les deux avaient passé des heures à relire les livres trouvés sur les scènes des homicides. Chercher l'indice, la trame. «Un jour, s'était dit Nicholas, j'écrirai l'histoire de cette enquête.» Quinn, l'obsédé, une personnalité *borderline*. Jamais les mêmes armes utilisées. Certaines des victimes avaient été violées, toutes avaient été abandonnées dans leur sang. Aucun indice d'introduction par effraction, les victimes connaissaient donc leur agresseur ou Quinn s'était fait inviter.

John avait noté en interrogeant les voisins qu'un étranger avait été vu dans les alentours. La description de l'homme épousait en tout point celle du tueur dans *Créance de sang* de Connelly, livre laissé sur la scène du crime. John venait de déchiffrer la signature de Quinn.

Ce dernier fut arrêté dans l'état du Vermont. Il vivait en reclus dans une petite fermette perdue dans les montagnes. Dans sa chambre d'une propreté impeccable, on avait saisi les livres de ses auteurs préférés. Les seuls bouquins manquants à sa collection furent les titres retrouvés sur les lieux des meurtres.

– L'affaire Polar, je n'ai jamais compris comment tu avais fait cracher à Quinn les sept autres meurtres, de dire Nicholas après avoir fait des ronds avec la fumée de sa cigarette.

John, lui, savait. Il avait conduit Quinn sans escorte des douanes américaines à la centrale de Montréal. Il aurait dû en être autrement. John avait tout simplement remercié son confrère américain à leur arrivée au Canada. Quinn, enchaîné aux pieds et menotté aux mains, ne présentait aucun danger.

Le poste frontière de Lacolle franchi, il avait été facile d'emprunter une petite route de campagne. Quinn était un homme plutôt chétif. John lui avait cassé la mâchoire sans trop d'effort. Le lendemain, Quinn comparaissait aussi pour entrave au travail d'un policier. Le héros des sept autres romans avait craqué, il avait enregistré des plaidoyers de culpabilité. Huit dossiers fermés, du beau travail.

John n'allait pas répondre à la question de Nicholas. Cela avait fait la force de leur association. Nicholas l'intello, le tendre et lui le moins subtil, sensible à la frustration et sans compromis pour l'ennemi.

– J'ai confirmé la compétence du coroner Lambert qui a signé le rapport sur la mort d'O'Neil. Il a travaillé dans des dossiers importants... Tu sais, aussi, tu avais raison, Vinci est dans la poudre. Il contrôle une bonne partie des importations de cocaïne qui proviennent d'Amérique du Sud. Le «café blanc». Tu te rappelles en avril dernier, cette saisie dans un conteneur au port de Montréal? Du gros stock, la police fédérale enquête et soupçonne toujours le clan Vinci. J'ai reçu hier un diagramme de l'organisation... On dit même que son avocat montréalais était sous écoute électronique. Tu vois, celui que tu admirais, le *gentleman* de la commission, le collaborateur... un bandit!

Et John d'ajouter en pesant bien ses mots:

– Une structure pyramidale, un financement efficace, un travail de pros! Y sont bien payés, une gang de crapules! Tu doutes encore du suicide de Robert O'Neil? Tu t'imagines? Un avocat de cette envergure impliqué dans du blanchiment... Le beau scandale!

Le casse-tête commençait à prendre forme. Nicholas questionnait maintenant l'intégrité professionnelle de Robert O'Neil.

II

Lorsque Christiane et moi avons aménagé dans notre duplex de pierres ambre, en face du parc Lafontaine, nous avons d'abord été séduites par les érables majestueux. J'aime encore marcher le soir dans le parc. Il nous arrive même la nuit d'y venir, Simon et moi, et de nous y embrasser.

Cet après-midi, j'y vais pour jouer au tennis avec Nicholas. Je n'ai pas touché à ma raquette depuis la mort de papa. Il était mon partenaire régulier. Un bon joueur, qui savait placer ses balles. «C'est comme le reste, disait-il, épuiser son adversaire en le faisant courir.»

Papa préférait jouer tôt le matin. Après, nous déjeunions et il me laissait à mon bureau. J'en profitais pour le consulter sur la stratégie à adopter dans mes procès. Papa était reconnu pour ses contre-interrogatoires musclés. Il n'avait pas pratiqué beaucoup le droit criminel mais l'on se rappelle encore d'une de ses performances où il avait mis en boîte l'expert de la partie adverse. «Il ne faut jamais poser une question si tu ignores la réponse, me répétait-il inlassablement. Prépare tes interrogatoires méticuleusement.» En plaidant, papa citait souvent un écrivain célèbre. «Les mérites du cours classique, un diplômé du collège Jean-de-Brébeuf, comme l'ancien premier ministre Pierre Elliott-Trudeau», me disait-il sur un ton taquin. Il connaissait personnellement plusieurs juges et il me contait des anecdotes à leur sujet. Jamais méchant mais souvent moqueur, papa aimait rire particulièrement des magistrats qui se prenaient trop au sérieux. Il n'aspirait pas au banc. «Je m'ennuierais dans ces longs couloirs gris. J'ai besoin de voir le soleil.»

J'attends patiemment Nicholas. D'un œil, je regarde une partie de baseball. Des jeunes d'au plus une dizaine d'années.

Cela me rappelle les soirées de mon enfance passées au stade olympique avec papa. Un mordu du baseball. L'époque des Tim Raines et Gary Carter. «Ce sport me détend», disait-il. Combien d'heures j'y ai passées à suivre la balle! À la cinquième manche, papa commandait deux hot-dogs. «Parce que nous avons bien travaillé», ajoutait-il à la blague. On y rencontrait souvent ses clients et je les impressionnais par mes connaissances du jeu. «Non, ce n'est pas un *squeeze*, c'est un amorti sacrifice.

Le coureur au troisième but a attendu que le joueur en défensive fasse un geste vers le premier but avant de courir vers le marbre!» À cette époque, je voulais devenir commentatrice sportive à la télévision! Je chéris en mémoire ce jeudi après-midi, 29 avril, la journée de mes 13 ans. J'étudiais au pensionnat du Saint-Nom-de-Marie. Papa était venu me chercher à l'heure du lunch pour l'ouverture de la saison de baseball! Je conserve précieusement notre photo avec Youpi, la mascotte des Expos de Montréal. Une image du bonheur.

– Mademoiselle O'Neil est prête à relever le défi?

Nicholas me sourit.

Je ne l'ai pas entendu arriver. Nicholas est vêtu d'un short trop serré pour lui. Il porte une casquette aux couleurs d'une compagnie pétrolière! Toujours aussi stylé!

– Je suis prête!

Je me lève. Autour de nous la verdure du parc respire la sérénité. Nous nous dirigeons vers le court de tennis. Comme s'il avait quelque chose à se faire pardonner, Nicholas me prend pas les épaules:

– Mes recherches n'ont pas été fructueuses, je n'ai pas d'informations nouvelles sur la mort de la jeune cycliste. Rien non plus sur l'homme qui serait sorti du bureau.

– C'est une piste difficile... Changement de sujet, j'ai pris un verre avec Vinci hier soir. Il ne m'a rien appris de son dernier souper avec papa. Il le trouvait fatigué.

Nicholas tire une dernière bouffée de cigarette et sort sa raquette de son étui. Je me demande s'il m'a entendue.

– Vinci dirige un réseau important d'importation de cocaïne. Il a été des mois sous écoute électronique. Le projet est tombé pour des raisons de budget.

Nicholas parle à voix basse.

Je l'observe. Il a la retenue de ces êtres habitués à l'annonce de mauvaises nouvelles.

– Tu sers le premier.

J'ai le soleil dans les yeux. Je ne me sens pas très en forme, mais en observant Nicholas qui s'essouffle déjà, je me rassure. Tout en prenant position derrière la ligne de service, je réfléchis; je revois Tomas Vinci, jeudi soir. Peut-être pourra-t-il m'éclairer davantage sur cette somme d'argent que mon père lui devait. Je préfère ne pas parler de cette nouvelle rencontre à Nicholas.

– Allez, Nick, montre-moi que tu n'as pas perdu la main et que les cigarettes ne t'ont pas enlevé ta fougue!

III

De la bijouterie, Viviane a téléphoné plusieurs fois à la maison. Bernard ne répond pas. Et ce n'est pas jour de ménage. Bernard est seul. Par ces soirées chaudes, la clientèle est rare. La vente en matinée d'un bijou de grand prix à un touriste lui permet de payer tous ses frais pour la semaine. Elle fermera plus tôt.

Depuis le décès de Robert, ses migraines ont recommencé comme dans les temps les plus difficiles de la maladie de Bernard. Elle n'arrive toujours pas à croire que Robert se soit suicidé sans un signe au préalable ou encore sans un mot d'adieu, un tout petit pour elle. Pas qu'elle se croie indispensable, en vieillissant on ne croit plus à de telles affirmations. Mais Robert était son ami avant de devenir son amant. Il ne pouvait pas l'abandonner comme ça!

Machinalement, elle met le système d'alarme en fonction avant de verrouiller la devanture de la bijouterie. En se rendant au garage, son malaise persiste. Est-ce la lourdeur de l'humidité de la ville? Elle sent son cœur battre plus fort. Sur l'autoroute qui longe le fleuve, Viviane souhaite arriver le plus rapidement possible chez elle. Les rues du centre-ville sont calmes à cette heure, le Festival de jazz se déroule plus à l'est.

Leur appartement est situé au quatrième étage. L'ascenseur la conduit directement. La clé de la porte n'a pas tourné. Son intuition ne l'a pas trompée. L'appartement est sens dessus dessous. Des lampes sont brisées, sur le tapis des bouteilles de vin fracassées. Au mur, à la seule toile qu'elle chérit, une huile de Riopelle, un couteau est planté, le coup au cœur, la déchirure. En avançant vers la cuisine, l'odeur du café brûlé saute à la gorge. À l'extrémité, la table de travail de Bernard sans son éclairage habituel, une montre Rolex en attente. Au bout, la salle de séjour est sombre, la porte du balcon entrouverte. L'homme est affaissé près de la table. Couché à plat ventre, on ne voit pas son visage. Le corps de Bernard gît inerte.

Viviane s'avance, elle le touche, elle le tourne. Le visage est tuméfié. Un trou noir au milieu du front. Pour quelques instants, Viviane cesse de respirer.

L'appartement est envahi pendant de longues heures par des policiers et experts en scène de crime. Ils sont enfin partis. Viviane tente de pleurer mais en est incapable. La douleur emballe tous ses membres. Elle est assaillie encore une fois par la mort.

Une odeur glaciale envahit le salon. Seule, défaite, immobile, Viviane cherche. Elle ne connaît pas d'ennemis à Bernard. Rien n'a été volé. Un fouillis indescriptible règne dans toutes les pièces.

«C'est un meurtre commis lors d'une introduction par effraction. Le ou les bandits ont dû être surpris par votre mari et ils l'ont tué», a affirmé l'enquêteur.

Comment pénétrer à l'intérieur sans être vu? La sécurité du building est assurée par des caméras en circuit fermé et un gardien scrute les allées et venues des visiteurs. Le gardien est un homme d'habitude, discret, et il connaît tous les résidants de l'immeuble. Une clôture entoure la piscine à l'extérieur. L'accès au building est contrôlé.

Viviane ne veut pas comprendre. Exténuée, elle avale deux sachets et somnole étendue sur son lit. La pensée de ce corps inerte la réveille en sursaut. Est-elle responsable de cette mort inutile? Que cherchait le voleur? Elle ne tolère pas la lourdeur de l'appartement. Viviane a besoin de sortir avant que la mort ne lui vole son oxygène. Elle descend rapidement au garage pour récupérer la voiture...Elle se ravise et remonte au pas de course. Elle demande au portier de lui appeler plutôt un taxi. Même si elle assimile difficilement toute information, elle ose:

– Avez-vous remarqué quelque chose de particulier? Des inconnus?

– À part les résidants habituels, rien de spécial, madame Veil, sauf les jardiniers pour l'entretien des fleurs. L'un d'eux s'est présenté pendant la courte absence du gardien à la réception. Vêtu d'un sarrau blanc avec une carte d'identité épinglée sur la poitrine, il serait venu à titre de spécialiste. Vous savez, l'horticulture des plantes exotiques commande la consultation d'un expert pour contrer l'apparition de maladies rares.

Après une courte pause, le portier continue sur un ton compatissant:

– Le visionnement des cassettes vidéo avec les enquêteurs n'a rien donné. Aucune personne n'a pu être identifiée.

Perdue, Viviane le remercie et se précipite à l'extérieur. Le taxi l'attend. Elle ouvre la portière et s'assoit. Réfléchir, réfléchir.

– Vous allez à quel endroit, madame?

Où aller? Elle n'en a pas la moindre idée. Un vent chaud du fleuve lui caresse le visage. Confuse.

– Madame?

Sur un ton paternaliste, le chauffeur de taxi ajoute:

– Ma petite madame, si vous voulez rester ici, ça va pour moi, mais faudrait vous décider.

Viviane lui indique de prendre à droite sur Pierre-Dupuy et de suivre le fleuve. Les arbres filent à toute allure, ils courent en sens inverse. Étourdie, elle ferme les yeux. Faire demi-tour, direction centre-ville. La voiture longe le port et s'engage sur la rue Université. Le conducteur continue cette course sans but et l'observe.

Viviane anticipe le retour à la maison, tout pour retarder cette confrontation inévitable. Harcelée par la fatigue, la balade doit se terminer. Elle se retrouve en face de Tropique Nord. Le désordre de l'appartement la saisit à nouveau. Elle s'affaisse sur son lit, elle ne comprend plus rien et se torture. Puis la voilà qui court dans toutes les pièces, vérifie les fenêtres, les loquets. Paniquée, une incrédulité rageuse s'empare d'elle. On la menace. Ces vampires ne sont pas encore rassasiés. Il faudra leur rendre ce qu'ils cherchent.

Viviane a besoin de partager sa détresse. Ce n'est plus une intuition qui la tenaille. Le suicide de Robert la hante. Le meurtre de Bernard la dévaste. Viviane ne peut plus rester seule. Elle prend le téléphone et signale le numéro de Jacqueline.

Mercredi 5 juillet

I

– Calme-toi, me dit Nick. Finis ta cour et on se parle après.

Le meurtre de Bernard me bouleverse. Que veut m'annoncer Nicholas maintenant?

– M^e O'Neil, vous êtes demandée à la salle 6.11.

Mon nom retentit dans les couloirs du sixième étage. Nous sommes en face de la salle des cœurs saignants, la cour des causes de violence conjugale. Les plaintes sont portées, les accusés arrêtés, les couples séparés. Puis après un temps d'apaisement, c'est la réconciliation avec la promesse de ne plus recommencer.

– M^e O'Neil, salle 6.11 immédiatement.

J'interromps notre conversation. C'est dans la tourmente que les passions se déclarent. Je pense que si Nicholas ne m'aidait pas, j'abandonnerais tout.

– J'ai une date à fixer et je suis à la cafétéria dans cinq minutes.

– Un cinq minutes d'avocat? me dit-il en s'éloignant comme un cow-boy.

La salle de cour est bondée. Des hommes et des femmes se tiennent par la main, d'autres se regardent comme chien et chat.

Les prévenus signent des engagements de garder la paix et de ne pas communiquer avec les victimes. Un beau compromis. Les travailleurs sociaux dirigent les destinées de ces âmes blessées. Le procureur de la couronne propose et le juge entérine. Aujourd'hui, le juge Archambault préside. Entre deux clins d'œil aux avocates, il acquitte la majorité des accusés.

– La deuxième sur le rôle des *pro forma*. M. Carrier. C'est pour fixer à procès, monsieur le juge, lui dis-je après m'être identifiée.

– Première date disponible, le 13 décembre.

– Ça va, monsieur le juge.

Incroyable, une date de procès si éloignée! L'efficacité du système judiciaire. Je quitte cette salle. Dans le corridor, des enfants jouent. Une homme au teint foncé et aux yeux de loup domine une femme voilée. Dissimulée, elle lève à peine les yeux.

J'attends l'ascenseur. À mes côtés, une fille d'à peine 18 ans, le ventre en ballon et l'œil droit au beurre noir. Elle s'appuie sur un grand costaud de six pieds. Ils ne se parlent pas et ils fixent les boutons. Je descends au cinquième.

Nicholas est bien installé à la table du fond de la section fumeur, un journal devant lui et une tasse de café. Essoufflée, avant que j'aie pris le temps de m'asseoir, je lui dis:

– Nick, je ne comprends plus rien… Pourquoi la mort de Bernard? Que se passe-t-il?

Il se veut rassurant. Il tourne comme un ours blanc autour de sa proie. J'ai besoin de savoir tout de suite ce qui presse tant.

– Bon, qu'y a-t-il? lui dis-je sur un ton presque incisif.

– Ne fais pas ton impératrice. C'est difficile et ça ne te plaira pas.

Constatant mon impatience, Nicholas s'exécute d'un trait.

– J'ai eu la confirmation ce matin. Ton père n'était pas sans reproche. Vinci, par son intermédiaire, transigeait beaucoup d'argent. Le système est raffiné. Vinci trafique d'importantes quantités de drogue et ton père l'aidait à légitimer des millions vite faits.

– Comme en investissant dans des clubs de golf!

Devant ma réaction, Nicholas s'arrête et allume une autre cigarette. Je lui fais signe de continuer. Aussi bien tout dire, c'est l'incertitude qui ronge davantage.

– Ce n'est pas tout. J'ai demandé le résultat de l'expertise du projectile trouvé dans le corps de ton père. Ce projectile ne vient pas de son revolver. C'est le même calibre mais ça ne provient pas de son arme. L'expert en balistique du laboratoire d'Ottawa est formel.

Incapable de me retenir, la tête entre les mains, je crie:

– Mais c'est un meurtre! Lui aussi!

Par chance, la cafétéria est presque vide et les seuls occupants me sont étrangers. Et puis, je m'en fiche. D'une certaine manière, je suis comme soulagée. Le suicide ressemblait si peu à mon père.

– Donne-moi une cigarette, Nick, j'en ai besoin.

– C'est pas le moment de te lancer dans la drogue, rétorque Nicholas en souriant. Puis il se lève, prend le cabaret et ajoute:

– En passant, on a arrêté un jeune homme au salon de coiffure d'Alfredo. À la suite de la plainte de Mᵉ Harvey Morris, sa ligne téléphonique a été mise sous écoute. Ça n'a pas été long, le maître chanteur s'est vite manifesté. Follement amoureux de son patron Alfredo, le jeune loup espérait par ces lettres de chantage provoquer une rupture. Un cœur brisé de ne pas être invité à des raves. Une autre passion dévorante classée.

J'observe Nicholas. Je le sens inquiet. Quel est le lien entre la mort de Bernard et la fin tragique de mon père?... Papa malhonnête? Lui si fier, je ne peux y croire. Moi qui croyais le connaître!

II

Après ma cour, j'ai décidé de rejoindre Viviane chez Jacqueline. Assise au salon, je l'attends. Elle dort dans ma chambre. Elle a droit de savoir elle aussi que mon père ne s'est pas enlevé la vie.

– Viviane s'est assoupie vers 8 heures ce matin. J'ai appelé mon médecin, il lui a prescrit un somnifère... Mais qu'est-ce qui nous arrive! Robert mort et Bernard assassiné!

Jacqueline a les traits tirés. Un simple nœud retient ses cheveux. Elle est bouleversée, ses gestes sont lents. Elle n'a sans doute pas beaucoup dormi elle non plus.

Des persiennes en bois laissent filtrer la lumière du jour dans cette pièce chaleureuse. Des canapés moelleux de couleur écrue entourent un foyer aux briques blanches. Au mur, des toiles abstraites, Letendre, Ferron, Molinari. Ses coups de cœur. Un tapis libanais aux dégradés d'azur complète le décor. Au fond, un piano à dos droit. J'y revois papa. Il ne savait pas lire la musique mais il jouait à l'oreille et son répertoire était des plus variés. «La musique calme et ouvre l'esprit», répétait-il. Un fond de concerto pour clarinette de Mozart transporte la voix de Jacqueline.

– Il faut manger, Tania. Tu as besoin de toute ton énergie. Il ne faut pas se laisser aller. Tu n'es pas seule. Jacqueline me tend une tasse de café au lait et un bol de yogourt avec des fruits frais.

Je déteste le yogourt mais je me force à l'avaler. Trouver la piste. Qu'ont Bernard et papa en commun? Que cherche le tueur? Perdue dans mes pensées, je n'ai pas entendu Viviane approcher. Sa pâleur met encore plus en évidence sa chevelure aux reflets de henné. Fragile, elle est vêtue d'une robe légère en doux coton. Pieds nus, elle s'avance vers nous, comme un chat craintif. Je me lève et la serre dans mes bras. Pourquoi le destin a-t-il choisi simultanément de m'enlever un père et de me faire rencontrer la femme qu'il chérissait tant? Des larmes coulent sur ses joues.

– Viviane, ce sera dur, mais le désir de connaître la vérité est plus fort que tout.

Je ne sais pas d'où je tire ma force. L'adrénaline... deviner que l'on approche de la cible.

– Tomas Vinci est un trafiquant de cocaïne.

Viviane ne sanglote plus, elle m'écoute et l'intensité de son regard me soutient.

– Avant-hier, Tomas est venu me saluer à la bijouterie. Il m'a offert sa sympathie. Nous avons peu échangé. Je lui ai mentionné les circonstances entourant la disparition du vol de l'auto de ton père et de sa mallette.

Je sursaute.

– Quelle mallette?

– Ton père m'avait demandé d'aller chercher un attaché-case dans le coffre de l'auto. Préoccupé, ton père devenait un homme distrait. Ce n'est pas la première fois qu'une telle situation se présentait. J'ai déjà gardé sa mallette au magasin, à la maison aussi.

Viviane s'est assise en face de moi pour continuer son récit. Jacqueline lui tend une tasse de tisane.

– Je me souviens aussi d'une autre occasion où j'ai reçu un colis à la bijouterie. C'était un jeudi en soirée, ton père séjournait aux îles Caïmans et m'avait demandé d'accepter la livraison d'un paquet pour lui. À son retour, il a transféré le contenu du paquet dans sa mallette. Il y avait plusieurs liasses de dollars américains. Un rendez-vous avait été fixé avec le gérant de la succursale bancaire de la Place Ville-Marie après les heures normales d'ouverture.

Viviane nous regarde sans nous voir. Puis elle ajoute comme pour le défendre:

– Dans le milieu des affaires, il n'est pas rare que d'importantes valeurs soient transigées en comptant. Par exemple, à New York, sur la rue des diamantaires, certains fournisseurs préfèrent être payés en argent sonnant. Ton père disait agir souvent comme intermédiaire pour Vinci avec des courtiers en placement.

Pendant tout le récit, Jacqueline n'a pas bronché. Elle nous observe puis ose une question:

– C'est à la demande de Robert que les autorités ont été avisées du vol de l'auto?

– Non, j'ai pris l'initiative d'appeler Pamela. Elle s'en est occupée... D'ailleurs, la réaction de Robert m'a surprise. Il aurait préféré aviser les policiers lui-même.

Les propos de Viviane confirment mes appréhensions et les informations de Nicholas. Bien malgré mon cœur, ma tête comprend. Mon pouls s'accélère, danger, zone grise et j'ajoute en fixant Viviane bien droit dans les yeux:

– Papa ne s'est pas suicidé. On l'a tué lui aussi. Le temps presse, Viviane, des innocents ne doivent pas payer pour eux.

III

Les nouvelles   circulent vite dans la rue. Vanessa a appris la mort d'Éric. On l'a trouvé dans la chambre de son appartement. Il baignait dans son sang. Une balle entre les deux yeux. Une transaction de drogue qui a mal tourné. La vie ne vaut pas cher dans ce milieu-là. On a déjà tué pour 150 $... payables en deux versements.

Vanessa redescend en enfer. Elle cherche un vendeur de *smac* sur la rue Sainte-Catherine, au coin de la pizzeria au nom de son idole, Madonna. Elle a la nausée, la nuit sera dure dans la ruelle de la rue Clark. Elle y rejoindra les autres pour ne pas être seule. Des chats errants mais qui partagent le même territoire. La même poubelle. Un *fix* pour disparaître, Vanessa se métamorphose pour rejoindre Éric quelques heures. Tout doux jusqu'au réveil, mais au petit matin, les chats se dispersent. Ce soir, elle rêve de dormir à l'intérieur pour avoir moins peur. Il y a cet immeuble désaffecté dans le Vieux-Montréal, un refuge de *squatters*.

Maintenant, elle tremble. La bouche ficelée, le cou si lourd, elle vacille. Et ce vendeur qu'elle ne trouve pas! Lui fera-t-il une dernière fois crédit? S'il le faut, elle se remettra à «travailler» pour lui. Il faudrait aussi en parler à Roger au club. Elle pourrait se remettre à danser, à se trémousser dans les isoloirs, c'est payant, la danse contact!

Elle aperçoit au loin un visage connu, une chevelure mauve, il fume une roche de *crack*; elle titube, les sueurs froides, le manque. Voudrait-il partager son paradis avec elle?

Et Philippe qui la cherche peut-être.

IV

Sainte-Justine, hôpital pour enfants. La dernière fois que Nicholas avait longé ces murs roses tapissés de dessins d'enfants, il portait dans ses bras un bébé laissé pour mort dans les toilettes de la centrale d'autobus de Montréal. Le dossier le plus difficile de sa carrière. L'enfant avait été abandonné après avoir été sauvagement battu. Une fillette aux yeux verts, le crâne défoncé.

Le quatrième étage est le département des naissances. Celui des pouponnières et des parents heureux. Le cinquième est celui des portes closes, pour les accidents de la nature, ces grossesses qui ne se rendent pas à terme. Nancy est venue avorter, à cause d'une fausse couche. Au téléphone, John ne lui a pas donné plus de détails. La voix éteinte, il refuse de quitter Nancy jusqu'à son congé de l'hôpital prévu en fin de journée.

Au bout du corridor, un solarium donne pleine vue sur le chemin de la Côte-Sainte-Catherine. Nicholas reconnaît John assis dans un fauteuil, les yeux hagards. Ses épaules sont tendues et les nerfs dessinent la ligne de son cou à chaque pulsion.

Nicholas est maintenant convaincu que le meurtre de Bernard n'est pas étranger au décès de Robert. Le meurtrier cherchait quelque chose. John a toujours été hors pair pour relier les événements. Il a sa manière de se distancier: «À vol d'oiseau, dit-il, on voit toujours mieux.»

Il veut aussi lui parler de la disparition de l'auto de Robert la veille de sa mort. Dans le rapport policier, on parle d'une source. Cela non plus n'est peut-être pas une coïncidence.

– Ça va? Nicholas touche l'épaule de John.

Ce dernier se retourne, son regard est absent, sans expression.

– C'est mieux pour moi. À mon âge... d'ajouter John, Dieu merci, on part dans trois jours pour le Costa Rica. Nancy va tout oublier... On lui a administré un calmant. Elle dort.

Le ton de la voix est monocorde. Sans émotion. Nicholas ne l'a jamais vu comme ça, le stress probablement.

– Changer d'air va te faire du bien. Je t'offre un café, mon vieux, en bas à la cafétéria.

John se lève sans répondre. Au poste des infirmières, on le salue d'un hochement de tête discret.

– Écoute, il ne faut pas chercher à lier chacun de ces événements. Beaucoup de gens savent que Bernard Cousineau exerçait son métier de bijoutier à son domicile, un des seuls à Montréal de sa compétence. Intéressant à dévaliser, suggère John en tentant d'avaler un chausson aux pommes.

Ils sont assis sur une banquette entre deux infirmiers qui font leurs mots cachés.

– Mais rien n'a été volé. Aucun bijou dispendieux ne se trouvait à la maison la journée du meurtre sauf une Rolex qui y était encore. L'intrus cherchait quelque chose, mais quoi? demande Nicholas, tout en déchirant minutieusement en petits morceaux son napperon de papier.

– Oublie ça. C'est pas parce que sa femme couchait avec O'Neil qu'il faut devenir paranoïde!

Et pour la première fois en sa présence, John esquisse un vrai sourire.

– Bon, si tu vois ça comme ça, d'ajouter Nicholas sans grande conviction. Changement du sujet, crois-tu pouvoir me fournir le nom de l'informateur dans le dossier du vol de l'auto d'O'Neil?

– Dans cette affaire-là non plus, je ne comprends pas pourquoi tu t'acharnes... Pour les beaux yeux de sa fille? Ferme le dossier. Toute vérité n'est pas bonne à trouver... Bon, je vais essayer d'obtenir le nom de l'informateur si cela peut te faire plaisir.

L'agressivité est dans l'air. La voix de John porte. Un des infirmiers lève les yeux avec curiosité. Nicholas se dit qu'il faudrait peut-être mieux parler de cela dans d'autres lieux.

– Allez, je t'accompagne jusqu'aux ascenseurs. On reparle de cela un autre jour.

«Après tout, John a peut-être raison, se dit Nicholas en se dirigeant vers son automobile dans le stationnement de l'hôpital. Il vaut peut-être mieux pour Tania qu'elle n'en sache pas davantage. Les morts sont nos héros.»

V

En décrochant le téléphone, Christiane reconnaît tout de suite la voix de Vanessa. «Où peut-elle être aux petites heures du matin, à répéter inlassablement «Éric est mort, Éric est mort.»»? L'appel provient d'une boîte téléphonique. Par instinct, Christiane accepte les frais. Vanessa termine la conversation sur ces mots:

– Je veux partir pour le ciel moi aussi. Où il est ton magicien qui joue aux cartes?

– Tu viens me voir, Van, je te tirerai au tarot. Tu verras, tu tourneras la carte du soleil. Hercule t'attend avec son cheval blanc. Tu le monteras pour t'envoler.

Ne pas l'apeurer, la rejoindre dans son monde. Christiane parle tout doucement.

Depuis les 36 dernières heures, Christiane n'a pas quitté le centre. Ce soir non plus, elle ne rentrera pas à la maison.

VI

Les boîtes téléphoniques, comme ça au coin des rues, c'est parfait; rarement sous écoute électronique, c'est plus sûr. Michael aime bien travailler pour Vinci. Il paie bien et il ne joue pas dans le dos, ses ordres sont clairs. S'il est insatisfait, il le fait savoir directement, il sait reconnaître le travail de la base.

– C'est Michael... Y en avait pas de mallette lui non plus... Il me reste une visite à faire. Je te rappelle.

Maintenant Michael sait où aller. Le jeune drogué a parlé avant de mourir. Y a juste l'introduction par effraction au jardin tropical qui a mal tourné. La mort du vieux, ce n'était pas prévu!

VII

Vinci raccroche le téléphone. Il avait dû revenir à New York. Il fallait calmer les fournisseurs et les faire patienter. Surtout les rassurer. Leur dernière transaction avait été sans anicroche, il ne fallait pas les perdre. Trouver un prétexte pour retarder la date butoir du paiement. Vinci décide de pratiquer ce qu'il connaît le plus, le bluff. Il lui faut encore du temps pour retrouver la mallette.

Avant tout, annuler son rendez-vous avec Tania O'Neil. Étant assuré de ne pas la joindre à cette heure, il signale son numéro et sur un ton un peu mélodramatique, il laisse son message.

– Me O'Neil, Tomas Vinci. Malheureusement, je ne pourrai vous accompagner au concert. Une urgence. J'ai dû entrer plus tôt à New York. Les billets sont à mon nom au guichet du Centre Molson. Bon spectacle.

«Une affaire de réglée, se dit-il. L'essentiel reste à venir...»

Jeudi 6 juillet

I

Je n'ai pas fermé l'œil de la nuit. Et ce matin, ce message de Vinci sur le répondeur de mon bureau. Assise sur la terrasse à l'arrière de la maison, je profite du calme du petit matin pour mettre mes idées en place. «Prendre le temps de prendre le temps.»

Je réalise que Christiane est dans la cuisine en humant l'odeur du café. Son ombre se dessine dans l'encadrement de la porte laissée ouverte. Elle n'est pas entrée de la nuit. Je ne saurais dire entre elle et moi laquelle des deux gagne le championnat de la pâleur.

– Éric Gariépy a été tué dans sa chambre de la rue Beaudry. C'est le *chum* de ma petite Vanessa... je l'ai attendue toute la nuit, elle n'est pas venue.

Sur ces mots, Christiane fond en larmes. Cette enfant que je n'ai jamais rencontrée la met tout à l'envers. Et ce n'est pas la première fois.

– Christiane, tu ne penses pas qu'un repos de quelques jours te ferait du bien? Il me semble que tu m'as toujours répété qu'il fallait garder ses distances pour être efficace!

Me voilà qui fait la morale, maintenant.

– Si nous soupions toutes les deux tranquilles, ce soir?

Christiane n'arrête pas de pleurer.

– Je suis tellement fatiguée. Je me couche une heure et je retourne au centre... Peut-être Vanessa se présentera-t-elle.

En disant ces paroles, Christiane passe ses mains dans son épaisse chevelure. Elle frise au naturel et avec l'humidité du jour, ses boucles épaisses lui couvrent le front.

– Christiane, on ne peut pas tout contrôler.

– Je sais, je sais, mais être là au bon moment... Vanessa a un frère, je ne l'ai jamais rencontré. Je voudrais lui parler. J'ai peur que Vanessa commette une bêtise...

Pour me donner du courage, je la serre fort dans mes bras.

II

Le retour au domicile a été difficile. Nancy a ruminé toute la nuit contre John. Une réaction plus enthousiaste aurait donné un souffle de vie à l'enfant dans son ventre. Son séjour à l'hôpital l'a fait réfléchir. Plus consciente que jamais, Nancy voit clair. La décision de John est irrévocable, il ne veut pas d'enfant et rien ne pourra le faire changer d'idée. Même pas le bébé qu'elle a perdu.

Nancy se regarde dans le long miroir collé à la porte de la salle de bain. Son soutien-gorge pigeonnant en dentelle noire met en valeur ses petits seins. Son ventre presque plat a repris sa forme. Ses abdominaux ont conservé leur vigueur. Elle note une petite rondeur à la taille mais sans plus. Nancy est prête à redevenir enceinte.

Il lui faut réaliser ce rêve avec quelqu'un d'autre. Elle ne peut attendre, sa décision est prise; elle a terminé ses valises, déposé ses flacons dans son sac tapissé d'une fresque italienne et enlevé ses pots de crème garnissant la tablette de la salle de bain. Pour le reste, elle reviendra. Elle se réfugiera pour quelques jours chez son amie Johane. Elle quitte John pour de bon, c'est d'un père dont elle a besoin, pas d'un vieil amant!

Après un tour rapide de la maison, elle se sent comme une adolescente en fugue. Elle ne veut pas discuter ni parler; il ne comprendrait rien. Il n'est pas rentré cette nuit. Un gros dossier. Elle n'a pas l'énergie de l'attendre. Elle lui laissera un message sur le répondeur téléphonique de la maison. « Bonjour, John, je te quitte.» Puis elle claque la porte sans regret.

III

La vue est imprenable sur le fleuve Saint-Laurent. Une vapeur enveloppe la ville, l'air est lourd et immobile. Le smog. Nicholas m'a donné rendez-vous au bureau de papa. Il est 19 heures.

– L'escouade de l'antigang enquête depuis plusieurs mois sur un réseau de voleurs de véhicules de luxe. On recèle et on expédie les voitures par conteneur ou par train selon les commandes. Le vol de l'auto de ton père dépendrait de cette organisation. L'identité du présumé voleur, Éric Gariépy, aurait été dévoilée par un informateur. Il est tout au bas de la pyramide, un jeune qui fournit aussi de la drogue aux prostituées du centre-ville. Difficile de comprendre l'intérêt pour une taupe de vendre un si petit poisson.

Je sursaute en attendant le nom du présumé voleur. Surpris par ma réaction, Nicholas suspend son analyse.

– Mais Christiane a mentionné ce nom ce matin! Ce type a été assassiné.

Nicholas me regarde incrédule. Pour une fois que je lui apprends quelque chose! Il faut dire qu'il est à la retraite et ne bénéficie plus des *briefings* du matin au bureau des enquêtes criminelles. Sur les entrefaites, Pamela fait son entrée sous prétexte de nous offrir une boisson et des sandwiches pour le lunch.

– Campbell doit me fournir le nom de l'informateur.

Pamela interrompt Nicholas.

– Monsieur Campbell va bien? demande-t-elle pour se montrer intéressante.

– Vous le connaissez, Pamela?

Je pose la question sans vraiment attendre une réponse.

– Il participait à la commission d'enquête avec vous, monsieur Hall, n'est-ce pas, alors que Me O'Neil était avocat-conseil de la commission? D'ailleurs la journée de la mort de votre père, M. Campbell avait tenté de le joindre...

Nicholas arrête subitement de lire le document qu'il a devant lui.

– Vous êtes convaincue que c'est bien lui, Pamela?

Satisfaite de la réaction qu'elle suscite, Pamela ajoute:

– Oui, je lui ai dit que Me O'Neil rentrerait de New York en soirée... J'ai cru qu'il voulait lui parler du vol de l'auto...

Nicholas se lève et compose un numéro sur son téléphone cellulaire. Aucune parole n'est échangée. Préoccupé, il ajoute en quittant le bureau:

– Tu sais comment me joindre, Tania. J'ai des choses à vérifier. J'ai quelqu'un à voir.

IV

«Ligne en attente, ligne en attente.»

Christiane ne répond toujours pas à mon appel. Enfin le dernier client de la journée. Je n'ai vraiment pas la tête à ça. Nicholas est parti si abruptement ce midi. Qu'est-ce qui le tracasse tant? Et son cellulaire qui est toujours fermé!

– À demain, Louis. S'il y a une urgence, je suis à Cactus.

«Ligne en attente, ligne en attente.»

Je ne suis pas faite pour toute cette technologie! Je vais probablement arriver au centre avant que Christiane ne me réponde. Et tous ces gens qui me regardent courir en parlant au téléphone sur le boulevard René-Lévesque en pleine heure de pointe! Trouver la bonne pièce du casse-tête. Éric Gariépy, le *chum* de Vanessa, est le voleur de l'auto de papa!

– Christiane, écoute-moi, faut que je te parle. J'ai de la difficulté à reprendre mon souffle.

– Veux-tu me dire ce que tu as, pour l'amour du ciel?

– Il faut trouver cette fille Vanessa dont tu m'as parlé ce matin... Je t'entends mal... Je cours, je suis à pied, je n'arrive pas à mettre la main sur un taxi. La rue Sainte-Catherine est fermée pour le spectacle de ce soir. Localise-la, Christiane, j'arrive, je t'expliquerai.

– Tu es bien énervée, regarde au moins en traversant la rue! Je t'attends.

Christiane a raccroché.

V

Christiane et moi arpentons les ruelles du centre-ville. Il pleut; des averses chaudes semi-tropicales, comme papa les aimait. Mon chemisier me colle à la peau. Enfin Christiane a pu se libérer de Cactus. Son remplaçant est entré à 19 heures. Malgré ses nombreux contacts, elle n'a pas retracé Vanessa.

Christiane est bouleversée; la vie de Vanessa est peut-être aussi en danger. Vanessa la touche plus que tous ses autres «enfants». Elle ressemble peut-être à cette fille qu'elle n'aura jamais. Nous voilà au parc Berri. Christiane questionne un groupe de jeunes occupés à se passer un joint. Personne n'a vu la «sainte vierge» aujourd'hui. Et la police aussi la cherche; ce matin, un flic déguisé en civil se promenait avec sa photo.

Nous marchons sur le boulevard Saint-Laurent, direction sud. Les clubs de danseuses nues côtoient les *snack-bars*. Des filles autrefois *sexy*, le dos aux vitrines, parlent entre elles. Christiane les connaît presque toutes. Elle les salue d'un hochement de la tête.

– Je cherche Van, dit-elle à une blonde platine vêtue de *hot pants* en cuir rose et d'un t-shirt couvrant à peine le haut de son nombril.

– Je l'ai croisée hier… Elle entrait à l'hôtel du Passant avec un importé. Elle était ben gelée, d'ajouter la grande platine.

Christiane me tire à l'intérieur du club Le 321. La lumière rouge tamisée projette un regard cru sur une vingtaine de tables sur lesquelles sont appuyés des torses d'hommes, les mains accrochées à leur bouteille de bière; des *king can* pour les petits rois des anciennes tavernes. Un genre de scène occupe le centre du local. Un travesti à l'abondante chevelure noire est trahi par ses hanches étroites. Vêtu d'un cache-sexe et d'une paire de gants qui lui couvrent les avant-bras jusqu'aux coudes, il se dandine sur une musique langoureuse. À l'arrière, trois isoloirs séparés par des rideaux de fortrel bleu longent le mur qui conduit aux toilettes. Un homme au crâne rasé et décoré de deux zircons à l'oreille droite s'approche de nous. Ses bras tatoués dévoilent des prénoms de femme inscrits sur des pierres tombales.

– Aie, mes greluches, deux places au bar ou à côté de la piste de danse? nous demande-t-il.

– Merci, Roger, je cherche Vanessa.

– La dernière fois que j'ai vu la petite, c'était avant-hier, elle sortait du troisième isoloir. Elle n'est pas revenue depuis. Elle n'est pas ben fiable. C'est comme ça qu'elle me remercie de lui avoir trouvé du travail, d'ajouter l'homme sans dents.

Christiane m'entraîne vers l'extérieur. La foule est dense. Deux coins de rue plus loin, les estrades de la Place des Arts se remplissent de spectateurs pour le concert de ce soir. L'anxiété se dessine sur le visage de Christiane. Devant la vitrine d'une lingerie érotique, je la vois parler avec deux toutes jeunes filles. Un chien dort à leurs pieds. Puis, elle se dirige vers le Tim Horton voisin. Je la suis.

Dans la banquette du fond, la tête appuyée au mur, une jeune fille se tourne une mèche de cheveux d'une main, en brassant son café de l'autre. Pour ne pas l'effrayer, Christiane s'approche d'elle comme on le ferait pour ne pas apeurer un oiseau blessé. J'attends qu'elle me fasse un signe avant de les rejoindre.

Christiane s'est assise en face de Vanessa. J'apporte deux cafés du comptoir. Christiane a sorti trois cartes de son jeu de tarot.

– Tu n'as plus rien à craindre, Vanessa. Les cartes de la Force et l'Étoile pour toi; la troisième, la carte du Monde, le symbole de l'affection.

– Éric est mort. Il faut le dire à mon frère. Y vont aussi tuer mon frère. Y tuent tout le monde, c'est à cause de ma drogue. Sur mon cheval blanc, je m'envolerai.

– Il est où, ton frère? demande Christiane tout doucement.

– Mon frère conduit un grand taxi. Il l'a dit, Philippe, il ne faut jamais parler à la police. Vanessa hoche la tête de mouvements saccadés, ses pupilles dilatées couvrent l'espace de ses yeux. Elle appuie ses mains sur la table dans un dernier effort pour se redresser.

– Y travaille pour la compagnie Diamond. Il l'a dit, Philippe, il fallait pas me sauver de la maison de désintox. Y é peut-être dans l'trouble, maintenant.

J'ai quitté le restaurant sans me retourner. Vite trouver Philippe avant qu'il ne soit trop tard.

VI

En attente au poste de taxi Diamond, Philippe est stationné derrière deux autres voitures. Il aurait préféré mettre sa griffe sur les murs plutôt que d'attendre les clients. Mais il a besoin de sous. Calé dans son siège, les fenêtres ouvertes, la radio à tue-tête, un joint pour oublier, Philippe rape avec NTM.

«J't'explique que c'que j'kiffe, c'est de fumer des spliffs. Et puis de construire des riffs qui soient compétitifs...»

Tellement saccadé qu'il oublie de penser qu'il a peur. Peur de mourir comme Éric. Peur pour Vanessa aussi. Philippe n'a pas revu sa sœur. Son dernier contact, son appel de détresse du Pélican. Philippe s'en veut de ne pas la protéger, lui le grand frère. Il se sent seul et coupable. Coupable de ne pas avoir protégé sa sœur et coupable d'avoir trahi Éric. «Ne pas me décourager.» Il a beau se répéter ces mots de sa mère, mais ce soir, ils ne l'apaisent pas. «C'est la faute de ce salaud de policier. Ne plus faire confiance à la police...»

– La business est bonne cette semaine, hein man? lui demande un grand Noir à la chemise hawaïenne à demi penché sur le volant.

– Y a du touriste en quantité... as-tu du change pour un 20?

Sorti de ses lugubres pensées, Philippe ouvre la portière et sort des billets de ses baggies vert kaki. Les douceurs rythmées de la Louisiane parviennent jusqu'à leur poste de taxi. Feignant d'être intéressé, Philippe rétorque:

– T'as raison, c'est ben bon. L'été, à Montréal, on est chanceux. Les festivals se mangent comme des petits pains chauds.

Après l'avoir salué, l'individu s'éloigne et s'installe dans l'auto-taxi stationnée devant lui. Lentement, envoûté par la musique, Philippe s'étire puis reprend place dans sa deuxième maison. La fin du show lui amènera bientôt des clients.

Nicholas et moi garons la voiture à une centaine de mètres du poste de taxi. C'est une soirée sans lune. Nicholas jette sa cigarette, questionne un des chauffeurs puis se dirige vers la deuxième auto de la file. Il ouvre la portière avant et je vais vers l'arrière du taxi. Une photo collée sur la vitre indique le nom du chauffeur: Philippe Lamarche.

– Vous allez où?

Philippe nous observe. La même profondeur dans les yeux que Vanessa. Il est beau, ce jeune homme. Il respire la tendresse. Assise, je remarque la propreté du véhicule. Déplié, un calepin avec des tags à l'encre bleue traîne sur le siège. Nicholas demande sans préliminaires:

– Éric Gariépy? Ça te dit quelque chose?

Philippe se redresse sur son siège usé et hausse les épaules. Tout pâle comme une aspirine, il reste muet. Regardant droit devant lui, Philippe passe ses deux mains dans ses cheveux comme pour éloigner les mauvais esprits. Son regard de chat perdu croise le mien lorsque Nicholas repose la même question. D'une voix presque inaudible, il lance:

– Qu'est-ce que tu veux?

– Je suis enquêteur. Mon nom est Nicholas Hall.

Et se tournant vers moi, Nicholas continue:

– Tania O'Neil, avocate. Nous enquêtons sur la mort de son père, Robert O'Neil... Tania a rencontré Vanessa et...

Philippe interrompt immédiatement Nicholas.

– Van! Van! Es-tu correcte? Où est-elle?

– Ne t'inquiète pas. C'est elle qui nous a dit comment te joindre.

– Ta sœur nous a dit que son *pusher*, Éric Gariépy, est mort. C'est aussi le voleur de l'auto du père de Tania. Et coïncidence, tu le connais? Éric a été abattu dans son appartement.

Nicholas parle. Aucune émotion n'est perceptible sur son visage. Il soutient le regard de Philippe. Les épaules de ce dernier s'arrondissent et disparaissent derrière le dossier de son siège.

– T'as sûrement quelque chose à nous dire? de terminer Nicholas.

Philippe est réticent. La peur paralyse son visage.

– Je ne parle pas à police. J'ai pus confiance.

– Tu sais, Vanessa nous a parlé de ta hantise de parler à la police.

En entendant le nom de sa sœur, Philippe réagit et sa voix se casse, le ton est saccadé:

– Van a raison. Il ne faut pas faire confiance à personne. On se fait toujours avoir.

– Oui mais, toi, tu n'as que ta sœur, moi, je n'avais que mon père et il est mort. Il faut que je sache. Tu comprends?

Comme l'effet d'une formule magique, Philippe démarre. Les émotions l'envahissent. Philippe s'engage dans la première rue à droite et se stationne en bordure.

– C'est à cause de ce flic qu'Éric est mort, dit-il d'un ton enragé.

– I'a 10-15 jours, je l'ai revu au Tim Horton de la rue Sherbrooke Ouest. Un coin anglais de Montréal, personne pour me reconnaître. Il m'a demandé si j'étais toujours dans les graffs et comment était ma sœur. Il lui fallait une information sur un char volé. Comme il m'avait déjà aidé, j'ai cherché pour lui.

Son récit est difficile. Philippe a les yeux roulants dans l'eau. Il poursuit:

– Après ma rencontre avec lui, j'ai questionné deux petits trafiquants du quartier Hochelaga pour apprendre que la mode était au vol de sacs gonflables et de radios de voitures de luxe. Puis le nom d'Éric est ressorti... Je n'ai pas eu de difficulté à le retracer.

Après une grande respiration, il enchaîne:

– J'ai fait la tournée des bars et des brasseries du Plateau pour le trouver. Je lui ai offert 100 $. J'ai refilé le tuyau au flic. L'automobile volée avait été abandonnée dans le Vieux Port, une mercedes qui provenait de la Place Ville-Marie.

Nicholas, en retrait, ne parle pas. Il écoute et observe Philippe.

Il fait chaud dans la voiture. Mes cuisses collent sur la banquette. Puis Philippe ajoute:

– Je ne peux pas croire qu'Éric est mort pour rien. Même si la vie ne signifiait pas grand-chose pour lui. J'veux pus rien savoir, juste trouver Van.

– Donne-moi le nom du policier que t'as rencontré. C'est urgent, Philippe, demande Nicholas.

Philippe se retourne et nous regarde attentivement. Puis, il sort de sa poche une carte d'affaires blanche avec le sigle de la police de Montréal et la tend à Nicholas.

– Qu'il paie donc, le crisse!

Nicholas demeure muet pour quelques secondes et ajoute en serrant la carte:

– Ta sœur est à Cactus, va la chercher…

Puis, il me dit sur un ton amer:

– Viens, nous avons quelqu'un à rencontrer et ça presse!

VII

En écoutant le message de Nancy sur le répondeur, John aurait voulu lui crier qu'il l'aime, qu'il a besoin d'elle. Trop orgueilleux. Il se tait.

Puis, il y a ce désordre inexplicable dans la maison. Le salon est sens dessus dessous. Les portes des placards sont entrebâillées, les tiroirs renversés et la garde-robe de Nancy vide! Comme un cheval en furie, le voilà qui cherche frénétiquement son sauf-conduit vers le bonheur. Il court immédiatement au sous-sol, derrière le chauffe-eau, le panneau dissimulé est ouvert. L'espace est vide. La mallette n'y est plus. Son rêve est brisé.

Péniblement, John remonte au salon. Il s'affaisse dans son fauteuil. Comme un automate, il zappe, zappe plus fort, plus fort et de plus en plus vite. Ses doigts sont crispés. Il fixe le temps en perte de contrôle. La porte s'est refermée. Nancy l'a quitté.

Livide, John reste figé. Sans penser. Si lourd, son
corps lui fait mal. Son château s'écroule. Puis, il se lève
brusquement et actionne son lecteur de disques, le
volume au maximum.

« Ain't no sunshine when she's gone
It's not warm when she's away
Only darkness every day...»

VIII

Nicholas n'arrête pas, une cigarette éteinte, une allumée. Une vraie cheminée. Les mains resserrées sur le
volant, son visage ne bronche pas.

Pas un mot tout le long du pont Champlain. J'observe
les remous du fleuve. Comme nous, ils tourbillonnent.
John Campbell habite à Brossard, une ville dortoir
ennuyante de la rive sud de Montréal.

Toute petite, j'avais peur des ponts. J'avais l'impression affreuse de me retrouver dans l'eau. Cette sensation
de tomber dans le vide était toujours présente. Jusqu'au
jour où papa me raconta que franchir un pont c'était
comme partir en voyage. L'illusion de changer de pays.
«Tu sais, Tania, l'eau navigue vers d'autres horizons.
Imagine chaque fois que le pont t'amène à une rive étran-
gère.» Faut-il encore croire mon père? Je ne le sais
plus... L'imagerie mentale ne fonctionne pas aujourd'hui.

– Mais pourquoi Campbell a-t-il téléphoné à ton père
le jour de sa mort?

Enfin Nicholas ouvre la bouche.

– Peut-être avait-il des renseignements à lui fournir sur
le vol de son auto?

Nicholas lève les épaules. La circulation est dense sur le pont. Nicholas semble connaître le chemin, ce n'est sûrement pas la première fois qu'il se rend chez John. La sérénité et la platitude de la banlieue, des maisons jumelées alignées. Il faudrait me payer pour rester ici. La rue du Jura, un bungalow en pierres blanches; une Ford Taurus noire occupe l'entrée de garage.

Nicholas stationne la voiture devant la maison.

Des dépliants publicitaires traînent à la porte devant l'affiche *Pas de colporteur*. Le doigt enfoncé sur le bouton, Nicholas sonne à répétition puis impatient pousse la porte qui n'est pas verrouillée. Il ajoute sur le ton de la confidence:

– Depuis quelques temps, Campbell n'est pas dans son assiette... La fausse couche de Nancy, ses grosses enquêtes qui n'avancent pas...

En entrant dans la maison, une odeur de renfermé nous saute à la gorge. Dans le portique, une patère soutient un imperméable beige. À droite, le salon. Le désordre règne partout. L'oxygène manque malgré la fenestration de la pièce. Les stores vénitiens sont baissés. Il fait chaud.

– Campbell... ah non... crie Nicholas qui arrête brusquement d'avancer.

D'un geste de la main, il me retient.

John Campbell est étendu sur le canapé. La souffrance est absente, un trou à la tempe. Une arme repose sur la moquette. Nicholas se penche, touche la gorge de son ami. D'un geste professionnel, il prend son pouls puis saisit le téléphone et compose le 911. Nicholas accomplit son travail de flic. Il prend deux billets d'avion et une enveloppe sur la table à café et il ajoute, sur un ton dépouillé d'émotions:

– Je ne serai pas en mesure d'éclaircir toute cette histoire avec lui.

– «San José le 7 juillet 2000, John Campbell et Nancy Caplan.» C'était son rêve, partir avec elle en voyage, de dire stoïquement Nicholas.

Il est troublé, sa pensée est ailleurs, il allume une cigarette et au ralenti, ouvre l'enveloppe. Tout est écrit sur une page. Comme un testament.

Il me tend la lettre. Frustré dans son travail, sous-payé, Campbell avoue avoir tué mon père, «une crapule en cravate». L'argent allait servir à combler Nancy. Partir vivre avec elle comme dans les films. Mais il a tout perdu! Nancy et la mallette...

Je sanglote. Tuer pour un million! L'argent de Vinci! Cette maudite mallette a probablement coûté la vie à Bernard et à Éric. Je circule dans la maison. Sur le réfrigérateur, on lit sur un bout de papier: «John, travail 526-4365, cellulaire 998-5673». Ce dernier numéro m'est familier. C'est celui apparaissant à de multiples reprises sur l'afficheur de Caroline Perreault. La pauvre fille. Probablement le seul témoin du meurtre de mon père, il fallait s'en débarrasser!

«Aucun scrupule. Je te hais, Campbell, pour toutes les souffrances que tu as causées!»

Nicholas a fermé les portes du salon. Il attend à l'extérieur en parlant sur son cellulaire. Au loin, des sirènes se font entendre. Je sors de la maison.

Assise dans la voiture, je remarque Nicholas qui s'entretient avec ses confrères et les ambulanciers. Son ancien partenaire, un voleur et un tueur! Je songe à mon père. «Rien n'est tout blanc ni tout noir», me répétait-il souvent.

Je me sens lasse, très lasse. J'allume le poste de radio.

«La 21ᵉ édition du Festival international de jazz de Montréal. Trois jours avant sa clôture, une assistance record... plus de 400 concerts...»

Vendredi 7 juillet

Épilogue

Dieu merci, Nicholas est venu me conduire à l'aéroport de Dorval. Mon vol est dans 30 minutes.

– Tu ne veux toujours pas que je t'accompagne? me demande-t-il.

– Non, je te remercie... Je veux le prendre par surprise avant qu'il apprenne la mort de Campbell... J'ai vérifié, Vinci est à son bureau demain. Il reste les meurtres de Bernard Cousineau et d'Éric Gariépy à éclaircir... et puis, il y a ce million disparu...

– Fais attention à toi. De mon côté, je cherche Nancy. Elle peut sans doute nous renseigner sur la mallette.

– Je t'appelle en arrivant. J'ai réservé une chambre à l'hôtel Le Pierre.

Je regarde Nicholas s'éloigner. Sa démarche est lente. Il m'inquiète. Un dix jours d'enfer qui n'est pas terminé.

«Les passagers du vol 742 d'American Airlines à destination de New York sont priés de se présenter immédiatement à la porte 42.»

En me dirigeant vers l'avion, je sors mon baladeur. Pas de blues pour moi aujourd'hui mais de «l'énergie pure», comme dirait papa: «Les fugues de Bach nous transportent dans un monde onirique loin de notre réalité...»